Klassiker der Kunst

Das gemalte Gesamtwerk von **Michelangelo**

Herausgegeben unter der Leitung von
PAOLO LECALDANO

Chefredaktion
ETTORE CAMESASCA

Kritikerkomitee
Hauptberater:
GIAN ALBERTO DELL'ACQUA

Italienische Berater:
BRUNO MOLAJOLI
CARLO L. RAGGHIANTI

Französische Berater:
ANDRÉ CHASTEL
JACQUES THUILLIER

Englische Berater:
DOUGLAS COOPER
DAVID TALBOT RICE

Amerikanische Berater:
LORENZ EITNER
RUDOLF WITTKOWER

Spanische Berater:
XAVIER DE SALAS
ENRIQUE LAFUENTE FERRARI

Redaktion
EDI BACCHESCHI
ANGELA OTTINO DELLA CHIESA
PIERLUIGI DE VECCHI
SERGIO CORADESCHI
SALVATORE SALMI
SERGIO TRAGNI
MARCELLO ZOFFILI

Sekretariat
FRANCA SIRONI
MARISA DE LUCIA

Deutschsprachige Ausgabe unter der Leitung von
LOUIS HERTIG

Mitarbeiter
EVA MARIA HERBST
VERA WALDIS

Verlegerkomitee
WALTER SCHWEIZER
LOUIS HERTIG

ANDREA RIZZOLI
GIANNI FERRAUTO

HENRI FLAMMARION
FRANCIS BOUVET

GEORGE WEIDENFELD
RONALD STROM

DEXTER E. ROBINSON
ROY D. CHENNELS

J. Y. A. NOGUER
JOSÉ PARDO

Klassiker der Kunst

Das gemalte Gesamtwerk von

Michelangelo

Einführung
Charles de Tolnay

Wissenschaftlicher Anhang
Ettore Camesasca

Gemeinschaftsausgabe Kunstkreis Luzern Buchclub Ex Libris Zürich

Printed in Italy

Einführung

Die grossen Künstler "haben stets nur dasselbe Werk geschaffen, oder vielmehr, sie haben immer nur dieselbe Schönheit, die sie der Welt darbringen, in abgewandelter Umgebung widergespiegelt". Diese Worte Prousts haben auch für das Werk Michelangelos Geltung. Während seines ganzen Lebens schien er von einer einzigen Vision von Erhabenheit und Schönheit besessen, und jede seiner Schöpfungen trägt die Botschaft einer höheren und verborgenen Welt.

Es gibt bei Michelangelo keine im eigentlichen Sinne fortschreitende Weiterentwicklung einer Meisterschule zur Freiheit und zur Originalität des Ausdrucks. Schon in seinen ersten Werken findet sich der Keim seiner späteren Entfaltung. Als der dreizehnjährige Knabe 1488 in das Atelier des Domenico Ghirlandajo in Florenz eintrat, verriet er schon seine frühe Unabhängigkeit und Reife. Anstatt dem Stil seines Meisters oder der verfeinerten Manier der in Mode stehenden florentinischen Künstler zu folgen, wandte sich Michelangelo der monumentalen Tradition der toskanischen Kunst zu, wie sie von Giotto und Masaccio gepflegt worden war, die ein und zwei Jahrhunderte vor ihm lebten. In ihrem Werk fand er Grösse und Würde des Empfindens in monumentaler und einfacher Form.

Die Jugendbestrebungen Michelangelos klärten sich und fanden den ihnen bestimmten Raum im Gewölbe der Sixtinischen Kapelle, die in einer Art hierarchischer Ordnung die Vielfalt heterogener Wesen vereinigt, die bisher isoliert in seinen Zeichnungen, seinen Skulpturen und seinen seltenen Malereien erschienen waren. Das Gewölbe der Sixtinischen Kapelle ist vorerst eine Zusammenfassung seiner früheren plastischen Versuche; zudem aber auch, und vor allem, ein neuer Entwicklungsabschnitt der Themen seiner Jugend. Sie ist die geniale und einzigartige Lösung in der Geschichte der Kunst, zahlreiche verschiedene Motive auf einer gewölbten Oberfläche aufzuteilen, deren Verschmelzung zu einer Einheit dem Künstler gelang.

Wie das erste Projekt des Grabmals von Julius II. bildet das Gewölbe eine Art Symphonie menschlicher Formen. Sie sind gleichgestellt oder untergeordnet, übereinanderliegend und rhythmisch geordnet, in verschiedenen Masstäben vom Riesen bis zum Kind, bald nackt, bald bekleidet, aus Marmor, Bronze oder fleischfarben — Formen, die isoliert oder in Gruppen erscheinen, simultan wirkend, die sich manchmal in einem Gewimmel verstricken, das jedoch immer von den strengen Linien der architektonischen Struktur beherrscht wird. Welch erhabenes Schauspiel bieten diese Bewegungen der Körper, die wie Wellen im Crescendo auf den Hintergrund der Kapelle zufliessen, den Betrachter ergreifen, welcher, bevor er noch deren Sinn ergründet, die Wollust der Entrissenheit in eine höhere Welt empfindet. Durch diese immer wiederkehrende Bewegung, die Masse, die Wucht und die sich daraus ergebende Polyphonie kann dieses Werk nicht mehr als dem Stil der Renaissance zugehörig eingereiht werden, ebensowenig gehört es aber dem barocken Stil mit seinen fliessenden Bewegungen und den ineinanderschmelzenden Formen an. Hier bleibt alles klar abgegrenzt, das Ganze aber schwingt in einem gewaltigen Rhythmus. Es ist ein persönlicher Stil, den er aus dem Stil der Hochrenaissance entwickelte.

Michelangelo inspirierte sich an der gegebenen Form des Gewölbes und an seiner Masse, im Gegensatz zu seinen Vorgängern, die die tatsächliche Form und das materielle Gewicht der von ihnen mit Fresken bedeckten Gewölbe zu verkleiden trachteten, sei es unter einem Netz von Gesimsen, sei es durch trügerische, das Auge täuschende Malereien. Der Meister bemächtigte sich der gewölbten Fläche der Decke, wie sie sich ihm darbot, und beschwor ein architektonisches Gerippe und eine Welt gigantischer Figuren herauf, die gleichzeitig die Verkörperung der vitalen, im Gewölbe eingespannten Kräfte darstellen. Er verlegte das Gewicht des Gewölbes in den Umfang seiner Figuren und in das "Relief" der gemalten Architektur. Er brachte die dem Gewölbe innewohnenden auseinanderstrebenden Kräfte symbolisch zum Ausdruck durch breite, elastische Doppelbalken, deren Spannung durch die Karyatiden-Putten verkörpert ist, die die Kapitelle der Wandpfeiler ersetzen. Die Kohäsionskraft, die den Seitendruck ausgleicht, ist durch ein kraftvoll profiliertes Gesimse dargestellt, das rund um die Doppelbalken läuft, bei jedem Wandpfeiler vorspringt und das ganze System verbindet. Die neutralen Felder zwischen dem Seitendruck und den Verbindungskräften sind mit historischen Szenen, Riesenfiguren, Medaillons und bronzenen Aktfiguren ausgefüllt. Michelangelo findet schliesslich das plastische Symbol, das auf künstlerischem Gebiet die Wölbung der ganzen Armatur erklärt, indem er sie als natürliche Folge des Gewichtes der Propheten und der Sibyllen interpretiert, deren schwere Massen das gigantische Gebälk nach unten ziehen. So drückt sein System die latenten Energien im Gewölbe aus: es erscheint durch sein eigenes Gewicht gekrümmt und durch die eigene Spannung getragen. Losgelöst von der architektonischen Struktur der Mauern der Kapelle, bildet das Gewölbe eine autonome Welt, ein vollständiges Universum, das seinen eigenen Gesetzen folgt.

Der vom Haupteingang gegen den Altar schreitende Betrachter empfindet, wenn er von Fresko zu Fresko geht, das Gefühl eines graduellen Aufstiegs: Eindruck einer sukzessiven Befreiung, die willentlich betont wird durch die Verwendung von drei verschiedenen Kompositionsarten in den neun Szenen der Genesis; durch die Identifizierung mit der Bewegung des höchsten Wesens fühlt sich der Beschauer selbst befreit von den Ketten des irdischen Lebens und erhebt sich in die Sphäre der absoluten Freiheit.

Michelangelo war nicht völlig frei in bezug auf die Wahl seines Motivs und auf die Anordnung der Fresken. Ein Vierteljahrhundert früher hatten die Meister des Quattrocento die Mauern der Kapelle schon mit zwei Zyklen geschmückt, indem sie auf der linken Wand die Geschichte Moses' und auf der rechten jene Jesu Christi entwickelt hatten. Diese Themen wurden als typologisch entsprechend dargestellt, indem sie die Geschichte der Menschheit *sub Lege* und *sub Gratia* aufzeichneten. Als Michelangelo sich entschloss, auch historische Szenen zu malen, blieb ihm nur ein Thema, um die beiden vorgängigen zu ergänzen: die Geschichte der Menschheit *ante Legem*. Der Meister war auch dadurch gebunden, dass die Künstler des Quattrocento ihre Zyklen vom Altar bis zum Eingang entwickelt hatten — entsprechend der Tradition der ersten christlichen Kunst — : so musste er mit seinem Zyklus ikonographisch im Hintergrund der Kapelle beginnen und ihn über dem Eingangsportal beenden. Aber dem biblischen Sinn seines Werkes scheint Michelangelo eine neue Bedeutung der Genesis aufgeprägt zu haben. Diese Freskenserie stellt auf eine Art die Rückkehr zu Gott der im Körper gefangenen Seele dar (d.h. die Idee der Vergöttlichung oder des *Ritorno*). Diese Rückkehr zu Gott ist nur die Rückkehr der Seele zu ihrer eigenen Quelle und ihrem ersten Wesen, denn nach der neuplatonischen Lehre der Renaissance ist Gott nur die Idee des Menschen und nicht ein übersinnliches Wesen. Die Einfügung der progressiven Vergöttlichung in den Zyklus des Gewölbes gestattete Michelangelo, dem Besucher eine greifbare Einheit zu bieten, denn dieser tritt auf der Seite ein, die derjeniger der ersten Gemälde der Genesis entgegengesetzt ist.

Das Gewölbe der Sixtinischen Kapelle ist das Werk des Künstlers auf dem Höhepunkt seiner Kraft: es bildet den titanischen Flug zum Himmel des Menschen Michelangelo in der Mitte seines Lebens. Indem er die unendliche schöpferische Kraft Gottes verherrlichte, gab er auch ein Bild seiner eigenen höchsten Bestrebungen in dieser Periode seiner Tätigkeit.

Papst Leo X. und sein Vetter, Kardinal Julius de Medici, fassten um 1520 den Entschluss, als Gegenstück zur Sakristei Brunelleschis eine an die Kirche San Lorenzo angrenzende Totenkapelle für vier ihrer Familienmitglieder errichten zu lassen: die Mediceerkapelle. Beim Betreten dieses illusorisch hohen Raumes, in welchen alles Licht nur von oben einfällt, fühlt man sich wie tief unter dem Tageslicht geborgen in einer Art Krypta. Der Eindruck von Entfremdung wird gesteigert durch die irrationalen Beziehungen der Architektur aus weissem Marmor in der unteren Zone mit dem Rahmen aus *pietra serena*. Bis zu diesem Zeitpunkt gab es in Italien immer eine Übereinstimmung zwischen der tatsächlichen Form der Mauern einer Kapelle und den architektonischen Elementen, die sie schmücken. Hier scheinen die tatsächlichen Mauern durchbrochen und Traumfassaden aus weissem Marmor von allen Seiten in die Kapelle hineinzuragen. Es scheint, als werde einem eine fremde Welt durch solcherlei Öffnungen offenbart.

Die Statuen sind die tatsächlichen Herren dieses Sanktuariums. Die Architektur und der Raum sind für sie geschaffen, und die sich darin befindenden Besucher wirken wie Eindringlinge. Vom ersten Kontakt an spürt der Beschauer, dass diese Figuren aus eigener Kraft leben, in einer unserem Dasein fernen Welt.

Die Gesamtheit dieser Kapelle scheint durch den Meister als verkürztes Bildnis des Universums geschaffen worden zu sein: unten die Wohnungen der Verstorbenen, dann die die irdische Szene wiedergebende Zwischenzone mit ihrer rationalen Architektur, und schliesslich die Lünettenzone und die Kuppel, die die himmlische Szene versinnbildlichen soll. Dies wäre noch offensichtlicher, wenn die Fresken existieren würden, die die Wände und die Kuppel schmücken sollten. Dieser Gedanke scheint auch durch die Abstufung des Lichtes illustriert worden zu sein, das am stärksten in die himmlische Zone und durch kleine Fenster in die Zwischenzone eindringt, während die untere keine direkte Lichtquelle besitzt.

So wird die dem Tode geweihte Kapelle das Sanktuarium dessen, was man unter dem tatsächlichen Seelenleben versteht: die Verstorbenen sind nicht traditionsgemäss auf Sarkophagen liegend dargestellt, sondern sitzend, in Betrachtung der Jungfrau.

Die Verwandlung der breiten Proportionen in aufstrebende bei den Figuren der Mediceerkapelle könnte teilweise dadurch erklärt werden, dass Michelangelo versuchte, jetzt, da er nach Florenz zurückgekehrt war, sein Werk in der künstlerischen Sprache dieser Stadt auszuführen.

Wenn das Gewölbe der Sixtinischen Kapelle die die Zukunft (deificatio) widerspiegelnde Vergangenheit der Menschheit (Genesis) darstellt, so ist die Mediceerkapelle das Zukunftsbild der Seelen, die unabänderlich geformt sind durch alles Vergangene. Doch das Gewölbe, das den Triumph der schöpferischen und tätigen Kräfte besingt, ist das "ideale Porträt" einer Künstlerseele in voller Blüte, wohingegen die Mediceerkapelle, voll elegienhafter Poesie und betrachtender Weisheit, das Bild des Menschen darstellt, der schon sein Lebensende nahen spürt.

Die dreissig letzten Jahre, von der Niederlassung in Rom im Jahre 1534 bis zu seinem Tode im Jahre 1564, bilden eine klar abgegrenzte Phase des Lebens und der geistigen und künstlerischen Auffassungen Michelangelos. Lange Zeit hindurch hat man diese Periode als eine Dekadenzepoche betrachtet. Jedoch nimmt man tatsächlich nicht an einem Verfall teil, sondern eher an einer Verschiebung der schöpferischen Tätigkeit: von den darstellenden Künsten — der Malerei und Skulptur — wechselte Michelangelo zur Architektur und Dichtkunst über.

Äusserlich unterscheidet sich diese Epoche zuerst von der vorhergehenden Periode durch die endgültige Niederlassung Michelangelos in Rom, dem damaligen geistigen und künstlerischen Zentrum des Westens. In zweiter Linie hat sich die soziale Stellung des Künstlers merklich geändert: Michelangelo gehörte nun zur höchsten Schicht der Gesellschaft, und sein Aufstieg wurde nach aussen durch die Verleihung offizieller Titel sichtbar. Als drittes entscheidendes Merkmal dieser Periode gilt, dass der Künstler den Höhepunkt seines Ruhmes erreichte.

Um den Entwurf des Jüngsten Gerichts, des Meisterwerkes dieser Epoche, zu verstehen, muss man sich eine Vorstellung vom Zustand der Wände machen, wie sie sich dem Maler darboten, als er sein Werk zu entwerfen begann. Die Zone mit den von den Künstlern des Quattrocento ausgeführten geschichtlichen Szenen enthielt auf der Altarwand zwei Fresken des Perugino. Unter diesen beiden Gemälden befand sich das Altarbild sowie ein Fresko Peruginos, die die Himmelfahrt Mariens darstellte. Die Kapelle war in der Tat Mariä Himmelfahrt geweiht. Die beiden Lünetten in der Höhe mit der Darstellung der Eltern Christi waren von Michelangelo zu der Zeit dekoriert worden, als er am Gewölbe arbeitete.

Aber bei seinem Fresko befreite sich Michelangelo von allen Beschränkungen, die ihm die schon bestehende Wanddekoration auferlegte. Er achtete weder auf den Altar Peruginos noch auf die seinerzeit von ihm selbst ausgeführten Lünetten. Er benötigte die ganze Weite der grossen Wand und sparte nicht einmal den Platz für die Einrahmungen aus, so dass die Gesimse der Seitenmauern in sein Fresko ragen.

Der Blick des Beschauers taucht in einen seltsamen Raum. Es handelt sich weder um eine begrenzte und logisch aufgebaute Fläche noch um einen durch malerische Werte geschaffenen trügerischen Raum, sondern um eine von allen Zufälligkeiten des Ortes und der Zeit befreite Leere: den unendlichen Raum des Alls. Aus dem Unendlichen steigen Formen, die sich zu dichten und immer dichter werdenden "Wolken" anhäufen und sich, von der Zentralfigur magisch angezogen, vor dem Beschauer dräuend zusammenballen. Die entfernteren Gruppen, wie auch die näher liegenden, sind in magischer Weise mit den energiegeladenen Armen Christi verbunden und bilden um ihn zwei konzentrische Kreise. Dieses Stossen von hinten nach vorn ist begleitet von einer Rotationsbewegung auf der Oberfläche, die alle Figuren erfasst. Das Aufbrausen und Abklingen dieses Zyklons zwingt den Blick auf den Mittelpunkt: die Zone einer von gelblichem Schein durchfluteten Gewitterstimmung, durchzuckt von der schreckensvollen Entladung der Verdammnis, die wie ein Blitzstrahl quer nach rechts herabsticht.

Die Partien, in welchen sich die Energie zusammenballt, in denen Michelangelo die Gestalten in geschlossenen Gruppen verdichtet, werden durch Leerräume abgelöst, die die Ruhepunkte bilden. Diese Partien gleichen sich aus und halten sich gegenseitig im Gleichgewicht. Ein mit den Strophen eines Gedichtes vergleichbarer Rhythmus durchpulst das Ganze.

Michelangelo begnügte sich jedoch nicht damit, in diesem Fresko die Schrecken der Menschheit vor der Vernichtung darzustellen. Der eschatologischen Sinngebung ordnete er eine kosmologische Bedeutung über. Er offenbarte die Gesetze der Anziehungskräfte und der Körperbewegungen im Raum des Weltalls. Es ist die Vision eines heliozentrischen Universums. Christus wird zum Mittelpunkt eines Sonnensystems, um dessen Schwerpunkt alle Konstellationen kreisen. Es ist nicht zufällig, dass er jung, bartlos, wehenden Haares, vollendeten Körperbaus, so sehr einem Apoll ähnlich dargestellt ist. Indem er dem Sonnen-Christus eine zentrale Rolle zuerkennt, dessen magnetische Macht die Einheit des Makrokosmos beherrscht, gelangte der Künstler auf seinen eigenen Wegen zu einer Vision des Universums, die erstaunlicherweise jener seines Zeitgenossen Kopernikus vorausgriff. Nach der Beendigung des Jüngsten Gerichts beauftragte Paul III. Michelangelo, seine eben von Antonio da Sangallo d. J. errichtete Privatkapelle (Cappella Paolina) mit zwei Fresken auf den Mittelfeldern der Seitenwände auszuschmücken. Die beiden Kompositionen wurden unter Berücksichtigung der Architektur der Kapelle gestaltet, und beide sind von einer dem Altar zustrebenden Rotationsbewegung gekennzeichnet.

Die religiöse "Konversion" Michelangelos in der letzten Phase seines Lebens ist eine Folge seiner Besorgnis um das Wohl seiner Seele, die sich gleichzeitig mit seinen Vorahnungen eines nahenden Todes mehrten. Die Kunst, würdig zu sterben, bildet das grosse Problem, das ihn während nahezu dreissig Jahren tief beschäftigte. Man findet eine ähnliche Entwicklung bei Lorenzo de Medici und den Humanisten seines Kreises, die alle, von einer heidnischen Auffassung ausgehend, ihr Leben als gute Christen beendeten.

Zwei Faktoren begünstigten diese Entwicklung bei Michelangelo ganz besonders: die allgemeine geistige, durch das Konzil von Trient beeinflusste Atmosphäre der Epoche, und insbesondere die Freundschaft des Künstlers für Vittoria Colonna. Diese Freundschaft war von grösster Bedeutung nicht nur für ihr persönliches Leben, sondern auch für die geistige und religiöse Entwicklung der Zeit.

Michelangelo war es, der diese Frau zum Rang der grossen Anregerinnen der geistigen Liebe: Beatrice und Laura, erhob. Während aber Beatrice und Laura sterben mussten, um in den Augen ihrer Dichter Dante und Petrarca in engelhafte Geschöpfe, in Verkörperungen göttlicher Vernunft und Gnade verklärt zu werden, erfuhr Vittoria Colonna diese Vergeistigung schon zu Lebzeiten dank den Reimen Michelangelos. Sie bildete für den Künstler das Werkzeug seiner moralischen Vervollkommnung: dank ihr fühlte er sich wie "*rinato*", und er überwand sein unvollkommenes und rauhes Wesen dank der Tugend dieser Frau. Sie wird zur Spenderin der göttlichen Gnade und zur Mittlerin zwischen Gott und dem Künstler. Michelangelo schuf ihr einen Platz in himmlischen Sphären. Ihre Schönheit erscheint ihm göttlich, ihr Antlitz engelgleich und heiter, "*volto angelico e sereno*". Er erfleht ihre Hilfe beim Erklimmen des steilen Weges, der zu ihr führt, weil seine eigenen Kräfte ungenügend sind. Die Liebe der Frau erscheint hier wie ein Bildnis der Liebe Gottes. Es ist eine religiöse Haltung, die an das Ideal des hohen Mittelalters erinnert.

Vor allem dank Vittoria Colonna trat Michelangelo in Beziehung mit der wichtigsten religiösen Strömung dieser Epoche, der "Italienischen Reform". Männer mit tiefem religiösem Empfinden gründeten das *Oratorium Divini Amoris* mit dem gleichen Ziel der Glaubenserneuerung. Mehrere Mitglieder dieser Kongregation spielten später eine Rolle in den Bewegungen der italienischen Reformation und der Gegenreformation. Inzwischen aber hatte die Reformationsbewegung durch Juan Valdès in Neapel Verbreitung gefunden. Wie alle anderen Mitglieder des Kreises um Valdès bekannte sich auch Vittoria Colonna zu dieser Lehre, und gewisse ihrer Gedichte sind ihr gewidmet. Als sich Valdès 1534 in Neapel niederliess, reiste Vittoria Colonna nach Ischia. Es ist aber nicht bekannt, ob ihr Gelegenheit zu einer persönlichen Begegnung mit Valdès geboten wurde. Wenn nicht, so wurden ihr seine Ideen sicher durch d'Ochino vermittelt, den geistigen Führer der *Marchesa* zwischen 1534 und 1541.

Im Jahre 1538 trafen sich Vittoria Colonna und Michelangelo jeden Sonntag im Dominikanerkloster von San Silvestro a Monte Cavallo, wo sie unter anderem auch religiöse Fragen besprachen. Diese Gespräche wurden auf etwas freie Art von Francisco de Hollanda aufgezeichnet in seinen *Quatre Dialogues sur la Peinture*. Man entnimmt daraus, dass sie zusammen die *Episteln* des hl. Paulus lasen, den Ausgangspunkt der Lehre über die Rechtfertigung durch den Glauben allein.

Mehrere Gedichte zeigen, dass Michelangelo die Lehre der Rechtfertigung durch den Glauben allein kannte, denn er hat diese Doktrin sogar in gewissen Details seines Jüngsten Gerichts illustriert.

Während der beiden letzten Jahrzehnte seines Lebens schuf Michelangelo seine schönsten Gedichte und Werke religiöser Kunst. Befreit von seiner Vorliebe für die monumentale Geschmacksrichtung der Hochrenaissance, vermochte er es nunmehr, seine religiösen Empfindungen freier und in einem mehr vergeistigten Stil als früher auszudrücken.

In seinem letzten bildhauerischen Werk, der Pietà Rondanini (Mailand, Castello Sforzesco), an der er noch sechs Tage vor seinem Tod arbeitete, hob Michelangelo die Antithese zwischen der passiven Schwere des Leichnams Christi und der Anstrengung der lebenden Figur, der ihn haltenden Jungfrau, auf. Der feingliedrige Leib Christi, der sich jedoch nicht auf seine kraftlosen Beine stützen kann, erhebt sich, die Gesetze der Schwere überwindend, während die Gestalt der Jungfrau, eine Stütze an ihm suchend, aus diesem unbewegten Körper die Wärme des Lebens zu ziehen scheint. Die beiden Gestalten sind so eng vereinigt, dass sie ineinander übergehen und ihre Formen kaum unterscheidbar sind. Das traditionelle Bild des Schmerzes der Jungfrau ist hier in eine Vision der Vereinigung von Mutter und Sohn verwandelt. In dieser Gruppe ordnete Michelangelo die physische Schönheit der Verklärung der Seele unter. Die Formen dieser beiden Körper erscheinen jeder Vollendung eigenartig ermangelnd: ihr Umriss ist eckig und gradlinig, und ihre Oberfläche zeigt die Unebenheiten, deren sich Michelangelo bedient, um die zu auffallenden Effekte von Licht und Schatten abzuschwächen und dafür "das innere Licht" hervorzuheben.

Michelangelo ist nicht der einfache Künstler-Handwerker, wie es die Florentiner Meister des 15. Jahrhunderts waren. Er ist aber auch nicht der Künstler-Prinz, der, glanzvoll in seinem Palaste lebend, ein mondänes Dasein führt wie der grösste Teil der grossen Künstler des 16. und des 17. Jahrhunderts. Buonarroti ist vielmehr ein Künstler-Philosoph, ein Aristokrat des Geistes. Was Leonardo da Vinci dem Künstler empfahl: "in der Einsamkeit zu leben, um sich besser auf das Wesentliche der Dinge zu konzentrieren", hat Michelangelo vollständig und vollkommen in seinem Leben verwirklicht. Als mutiger Geist, erfüllt von Stolz, von unbändigem Temperament in seiner Jugend, wurde er durch die Beherrschung seiner Grundeigenscheften ein Denker (Epoche der Mediceerkapelle) und dann ganz einfach ein demütiger Christ. Er erreichte in seiner Jugend die Vollendung des auf seinem Höhepunkt angelangten florentinischen Genies; er übertraf ihn am Ende seines Lebens und erreichte christlichen weltweiten Geist.

Buonarroti suchte von Anfang an die Idee zu erfassen, die zwischen den sichtbaren Formen durchscheint. Das Kunstwerk war für ihn nicht eine Darstellung des Sichtbaren, sondern eine Erweckung der wesentlichen Natur der Dinge. Er suchte stets die Dinge nicht so zu gestalten, wie sie das menschliche Auge sieht, sondern so, wie sie in ihrer Wesentlichkeit sind und wie sie der inneren Sicht allein erreichbar sind.

Diese Auffassung der Kunst führte ihn zu einem neuen Begriff des Künstlertums. Dieser Künstler ist nicht mehr der seinem Modell — der Natur — untergeordnete Nachahmer, sondern ein gottähnlicher zweiter Schöpfer, der durch seine Werke die sichtbare Natur überwindet, um die wirkliche Natur zu offenbaren. Diese stolze und sublime Auffassung des Künstlers verleugnete Buonarroti in der letzten Periode seines Lebens, als er Christ wurde. Dafür schuf er in seinen Werken anstelle der Urbilder wieder die Vision des Göttlichen — ohne deshalb auf die Schaffung einer zweiten, der unsrigen übergeordneten Wirklichkeit zu verzichten.

Charles de Tolnay

Michelangelo

Kritische Betrachtungen im Laufe der Jahrhunderte

Auf dem Gebiet der darstellenden Künste hat vermutlich niemand so zahlreiche Urteile, Interpretationen und Hypothesen hervorgerufen wie Michelangelo. Mit kaum dreissig Jahren wurde er vom Bannerträger Soderini, dem obersten Beamten der alten florentinischen Republik, dessen Bruder, dem Kardinal, als "vielversprechender Meister und einziger seines Berufes in Italien und möglicherweise der ganzen Welt" vorgestellt. Trotz dieser Fülle von Ansichten ist eine Leitlinie sichtbar, die, ausgehend von den begeisterten Lobpreisungen seiner Zeitgenossen, in die tiefgreifenden Abklärungen des Vasari mündet, um wiederaufzuleben in der späteren, oft leidenschaftlichen, jedoch immer um die wirklichen Werte besorgten Kritik von Armenini bis Milizia. So wird sie nach dem absurden Vergleich zwischen Michelangelo und Raffael (wie er sich jahrhundertelang aufdrängte, nachdem er von Pietro Aretino in einem Augenblick persönlichen Grolls gegen Buonarroti eröffnet worden war) nie in stumpfsinnige, von moralischen Gründen eingegebene Ablehnung verfallen.

Vertreter der Romantik, wie u.a. Stendhal und Shelley, offenbarten wieder Michelangelos wirklichen Wert, indem sie insbesondere seine Persönlichkeit und Tiefgründigkeit erkannten. Doch sollte diese Perspektive zu einer Serie tiefschürfender Untersuchungen ethisch-religiöser Richtung und durch Haarspaltereien zu derart abstrusen Auslegungen führen, dass eine gefährliche Richtung der Kritik befürchtet werden musste. Doch vermochte diese dank den Arbeiten von Montégut, Dvořák, Wölfflin, sowie jenen von Voss, Bertini, Briganti, von Einem, Ragghianti, wenn auch hier nur mit Ergebnissen unterschiedlicher Tragweite, den wichtigsten Beitrag des Meisters aufzuzeigen. Dieses Ergebnis ist vor allem der Überwindung gewisser Themen zuzuschreiben, wie beispielsweise der "Terribilità", deren Ursprung auf Vasari zurückgeht und die Jahrhunderte hindurch Gültigkeit behielten. Sie erscheinen als Titel verschiedener Abschnitte des vorliegenden Itinerars und in den Ansichten über die einzelnen Werke.

Die Themen

Neuheit

... In Euren Händen lebt verborgen die Idee einer neuen Natur... Welch grosses Wunder, dass die Natur, die keine solche Schöpfung zu bilden vermag, als dass Ihr sie nicht durch Euren Fleiss erreichen könntet, ihren Werken nicht die Erhabenheit aufzuprägen versteht, die die unendliche Macht Eures Stiles in sich birgt.

P. Aretino, Brief an Michelangelo, 16. September 1537

[Dante] war wirklich der erste, der durch die von ihm angekündigte wundervolle Synthese die Dichtkunst zu solch hoher Vollkommenheit erhob, dass man ihn nicht vergleichen, sondern nur bewundern kann; und Ihr, wenn auch einige vor Euch und zu Eurer Zeit mit lobenswertem Gelingen in der einen oder anderen der drei Künste wirkten: Ihr allein und allen voran habt alle drei in inniger Verschmelzung umfassend gepflegt und deren Ansehen gehoben, so dass Ihr unvergleichlich als Vorbild seid.

G. Lenzoni, *Difesa della lingua fiorentina*, Florenz 1556-1557

Alle Hindernisse überwindend, blendete Michelangelo die ganze Welt wie ein Blitzstrahl mit seinem grandiosen Stil.

Richardson père et fils, *Traité de la peinture et de la sculpture*, Amsterdam 1728

Unsere Kunst... hat nunmehr eine Höhe erreicht, die zu erlangen sie nie zu hoffen gewagt hätte, wenn Michelangelo der Welt nicht die in ihr verborgenen Kräfte entdeckt hätte.

J. Reynolds, *Discourses delivered to the Students of the Royal Academy*, London 1790

... Da er völlig mit den Gliedern des menschlichen Körpers und der ganzen Mechanik ihrer Bewegungen vertraut war, wie auch mit den Gesetzen der Optik und der Perspektive, so dass er alle Gegenstände aus gleich welchem Blickwinkel darzustellen vermochte, überliess er weniger unternehmungslustigen Geistern das einfache Spiel der Linien und Bewegungen, das bis zu diesem Zeitpunkt allen künstlerischen Schöpfungen einen gezierten Charakter verlieh. Jede Art Unterwürfigkeit stolz verachtend, widmete er sich nur dem Neuen und Gewagten...

L. Cicognara, *Studio della scultura dal suo risorgimento in Italia fino al secolo di Canova*, Venedig 1813-1818

Durch die Wahl eines eigenwilligen Stils eröffneten Äschylus und Buonarroti der Darstellungskunst einen neuen Weg. In ihren Werken nimmt der Mensch gigantische Proportionen an. Bei beiden findet sich die gleiche Verachtung für eine aus Ruhmsucht gewählte Gefälligkeit und gesuchte Schwierigkeit. Beide erschütterten die Seelen ihrer Zeitgenossen; beide freuten sich am Schrecklichen und flüchteten nicht in eine Religion, um der ihr ganzes Werk durchdringenden Pein zu entrinnen, sondern wählten das Drohende zum Vorwurf ihrer Werke...

G. B. Niccolini, *Del sublime e di Michelangiolo*, Florenz 1825

"Terribilità"

... seinen Gestalten verlieh er eine den tiefen Geheimnissen der Anatomie entrissene, nur von wenigen erfasste Form des Schreckens, urwüchsig, aber voller Würde und Erhabenheit...

G. P. LOMAZZO, *Idea del Tempio della Pittura*, Mailand 1590

Wie Mozart in seinem *Don Juan*, hat der nach Schrecklichem strebende Michelangelo alles vereint, was in allen Sparten der Malerei missfallen konnte: die Zeichnung, die Farbe, das Helldunkel, und doch wusste er den Betrachter zu fesseln.

H. BEYLE (STENDHAL), *Histoire de la peinture en Italie*, Paris 1817

Wie mir scheint, war Michelangelo bar jeden Sinnes für moralische Würde und Anmut: und seine Energie, für die er soviel gepriesen wurde, erscheint mir als rohe, äusserliche, mechanische Eigenschaft.

P. B. SHELLEY, Brief an Leight Hunt, 3. September 1819

Es gibt Seelen, aus denen die Eindrücke wie Stürme hervorbrechen, und all ihre Taten sind Vulkanausbrüche oder Blitzstrahle. So sind die Gestalten des Michelangelo: alles Söhne und Töchter einer kolossalen und streitbaren Rasse, denen jedoch das Alter die Ausgeglichenheit, das Lächeln, die einfache Freude, die Anmut der Ozeaniden des Äschylus und der Nausikaa des Homer bewahrt hat.

H. TAINE, *Voyage en Italie*, Paris 1866

... Dieses Sublime suchte er nicht im Pathetischen, sondern im Schrecklichen; und zwar nicht in jenem Schrecklichen, das aus der geheimnisvollen Grösse einer sternklaren Nacht entspringt, sondern im Schrecklichen eines sturmgepeitschten Meeres, auf dem von grellen Blitzen erleuchtete Leiber Schiffbrüchiger schwimmen.

A. ALEARDI, in "Relazione del Centenario di Michelangiolo ... 1875", Florenz 1876

Anatomie

Mit seinem vorzüglichen Urteil erkannte Buonarroti, dass die modernen und, soweit ersichtlich, auch die früheren Maler und Bildhauer in ihrer Kunst wohl in mancher Hinsicht eine gewisse Vollkommenheit erreicht hatten, jedoch bei der Darstellung des menschlichen Körpers dessen vollendete Proportionen noch nicht wiederzugeben vermochten. Er ging richtig in der Annahme, dass der Grund dafür in der Schwierigkeit der Darstellung des Zusammenspiels aller Glieder lag. Dank seinem hervorragenden Kunstsinn und eingehenden Studien gelang ihm, was andere nicht gewagt oder versucht hatten.

V. DANTI, *Il primo libro del trattato delle perfette proporzioni*, Florenz 1567

... um seine vollkommene Kenntnis der Anatomie zu beweisen, neigte er zu leichter Übertreibung besonders beim Hervorheben der Muskeln, die er hervorragend und mächtig in jenen von der Natur verfeinerten Körpern darstellte.

G. P. LOMAZZO, *Trattato dell'arte della pittura*, Mailand 1584

Anscheinend befürchtete er, man könnte seine tiefe Kenntnis dieser Wissenschaft übersehen, denn er betonte die Körperteile so sehr, als hätte er nicht gewusst, dass die Muskeln von einer ihre Wirkung mildernden Haut überdeckt werden.

R. DE PILES, *Abrégé de la vie des peintres*, Paris 1699

[Ein] Prediger ... erklärte öffentlich von der Kanzel herab, dass Michelangelo grausam einen armen Bauern am Kreuze sterben liess, um das Antlitz des sterbenden Christus wiederzugeben. Und es wird auch nie an Leichtgläubigen fehlen, die eine solche Mär für wahr halten.

N. GABBURRI, Brief an Mariette, 4. Oktober 1732

Dieser grosse Künstler suchte den Ursprung der Schönheit und glaubte sie mittels der Anatomie gefunden zu haben, jener Wissenschaft, die er am eingehendsten studierte und in welcher er zu solcher Meisterschaft gelangte, dass er auf diesem Weg Unsterblichkeit erreichte, obwohl er nicht fand, was er eigentlich suchte: die Schönheit...

R. MENGS, *Opere*, Bassano 1783

Ausschliesslich dem anatomischen Ausdruck verhaftet, kannte er den wirklichen Ausdruck nicht, den moralischen Ausdruck, dessen Leidenschaften in all ihren Formen wiederzugeben das Ziel jeder grossen Kunst ist. Daher rührt die langweilige Einförmigkeit seiner Werke...

F. MILIZIA, *Dizionario delle belle arti del disegno*, Bassano 1797

Ich weiss nicht, was Ihr bei Michelangelo anatomische Wissenschaft nennt. Mir scheint, er habe willkürlich verbogene Bewegungen gewählt... um die hervortretendsten Teile und Muskeln mit leidenschaftlicher Heftigkeit darzustellen.

A. CANOVA, Brief an Cicognara, 25. Februar 1815

Es scheint, als denke er beim Schaffen eines Armes und eines Beines nur eben an diesen Arm und dieses Bein, und nicht im mindesten an deren Beziehung, ich würde nicht nur sagen zur Gesamtwirkung des Bildes, sondern zur Persönlichkeit, zu der sie gehören. Ich muss jedoch zugeben, dass gewisse so behandelte Teile und mit ihnen diese exklusive Vorliebe schon allein zu fesseln vermögen. Hier liegt sein grosses Verdienst: er versteht es, sogar einem isolierten Glied Grosses und Schreckliches einzuverleiben.

E. DELACROIX, *Journal* (1822-1863)

Die griechische und venezianische Wiedergabe des Körpers ist getreu, sittsam und natürlich; jene Michelangelos jedoch ist unehrlich, unverschämt und künstlich.

J. RUSKIN, *The Relations between Michael Angelo and Tintoret*, London 1872

Bei ihm wird die Anatomie zur Musik. Bei ihm wird der menschliche Körper zu *fast rein* architektonischem Material. Die Körper werden in den Freskomalereien und Statuen über das Mass ihres logischen Sinnes hinaus bewegt, und die melodischen Linien der Muskeln folgen sich nach einem musikalischen Gesetz, nicht nach einem logischen darstellenden Gesetz.

U. BOCCIONI, *Dinamismo plastico*, Mailand 1911

Zeichnung

Die Schwierigkeit der Umrisse (diese höchste Wissenschaft in der Feinheit der Malerei) fällt Euch so leicht, dass Ihr im Umriss der Gestalten das Ziel der Kunst zu erkennen glaubt, was, wie die Kunst selbst es zugibt, unmöglich zur Vollendung führen kann.

P. ARETINO, 1537

Er besass bei einer brennenden Einbildungskraft und einem schnellen, durchdringenden Witz ein Herz, dem Begriffe von Schönheit und sanfter Grazie fremd waren.

F. W. B. v. RAMDHOR, *Über Malerei und Bildhauerarbeit in Rom für Liebhaber des Schönen in der Kunst*, Leipzig 1787

Michelangelo stellt mindestens soviel Anmut wie Kraft dar.

É. MONTÉGUT, in "Revue des Deux Mondes", 1870

Farbe

... mit seinem Kolorieren diente er der Heftigkeit und Tiefgründigkeit der Zeichnung, indem er weniger die Qualität der Farben beachtete, als nach dem Phantastischen und Aussergewöhnlichen trachtete. Auch schuf er so schöne und kraftvolle Gestalten, dass jeder, der sie sieht, vernünftigerweise zugeben muss, es könne weder in der Farbe noch in der Zeichnung Besseres geleistet werden.

G. P. Lomazzo, 1590

... er war in Unkenntnis all dessen, was Farben betraf.

R. De Piles, 1699

... er konnte die Farben der Natur nicht nachahmen und verstand, wie viele andere, die vor und nach ihm wirkten, nichts von der Luftperspektive.

G. Della Valle, in *Vite ... scritte da M. Giorgio Vasari*, Siena 1791-1794

Was nicht genügend bekannt ist ... ist, dass Michelangelo, der hervorragende Zeichner, auch Kolorist war, ein Kolorist des Lichtes.

C. Blanc, in "Relazione del Centenario di Michelangiolo ... 1875", Florenz 1876

Die Werke

Tondo Doni

... so ist diese Malerei eine solche Mischung von Fleiss und beherrschender Kunst, dass der Geist eher vom Loben erlahmt, als dass die Gründe des Lobes sich erschöpfen.

F. Bocchi, *Le bellezze della città di Firenze*, Florenz 1591

Die Farbmassen sind ohne Bindung; und es scheint, als hätte man sie nur zufällig hingeworfen...

Richardson père et fils, 1728

Im Vergleich mit den Werken der grössten Meister erscheint sie als die gelehrtere, aber weniger schöne; ihr Autor erscheint als des beste Zeichner, aber als der dürftigste Farbenkünstler,

L.Lanzi, *Storia pittorica della Italia*, Bassano 1795-1796

Die gesuchte Schwierigkeit... ist nicht ganz besiegt; mit einer Gesinnung dieser Art soll man überhaupt keine heiligen Familien malen.

J. Burckhardt, *Der Cicerone*, Basel 1855

Trotz *Messieurs les Connoisseurs* und Michelangelos Ruhm... ist beispielsweise hier die heilige Jungfrau nicht die *Vergine santa d'ogni grazia piena*, sondern eine Jungfrau, deren ziegelstaubfarbiges Gesicht, deren herbe, unweibliche Züge und muskulöse männliche Arme mich an eine Waschfrau erinnern (*con rispetto parlando!*); der Erlöser als Kind mit den Proportionen eines Riesen; und was soll man von der Nacktheit der Gestalten im Hintergrund sagen, die den Gegenstand profanieren und gleichzeitig den guten Geschmack und den gesunden Menschenverstand verletzen?

A. Jameson, *The Diary of an Ennuyé*, Boston 1865

... diese märchenhafte Konzentration ausgewogener Energien, Symbol des Ideals der reiferen Renaissance und Spiegel der heroischen und glühenden Seele des Künstlers...

M. Marangoni, *Saper vedere*, Mailand 1933

Es gibt keine weniger "geistige" Komposition als diese.

M. Brion, *Michel-Ange*, Paris 1939

Schlacht von Càscina

... alle Haltungen und Gemütsbewegungen, die in einem solchen Fall vorkommen können, gelangen auf natürlichste Weise zum Ausdruck.

S. Fornari, *Sposizione sopra l'Orlando furioso*, Florenz 1550

Von diesem kunstvollen Gemälde strahlte ein Licht auf alle über, die in der Folge zum Pinsel griffen...

A. Condivi, *Vita di Michelagnolo Buonarroti*, Roma 1553

... weder unter den alten noch unter den modernen sah man Werke, die solche Vollendung erreichten...

B. Cellini, *Vita* (1559)

Sie war mit solcher Feinheit, solchem Fleiss, solcher Anmut und Meisterschaft ausgeführt, dass ganz Florenz, das sich in einem unglaublichen Gedränge zur Enthüllung im päpstlichen Saal eingefunden hatte, überrascht, betäubt, erschrocken und voller Staunen war. Alle hoben mit zusammengepressten Lippen vor Verwunderung die Augen zum Himmel und behaupteten, fast von Schwindel ergriffen, dass nie etwas Gleiches, höchstens etwas Ähnliches geleistet wurde und auch nie mehr geschaffen werden würde...

B. Varchi, *Orazione funerale ... nell'essequie di Michelagnolo Buonarroti*, Florenz 1564

Decke der Sixtinischen Kapelle

... Im Vergleich mit dem Werk Michelangelos sind alle anderen Dinge als müssige Schmierereien zu bezeichnen. Und obwohl sie das Beispiel dieses unvergleichlichen Meisters vor Augen hatten, wussten sie es nicht nachzuahmen.

Il libro di Antonio Billi (16. Jahrh.)

Dieses Gewölbe ist, wie alles was Michelangelo schuf, wundervoll und so selten und erstaunlich, dass man weder heute noch früher je etwas Ähnliches sah.

Anonimo Magliabechiano, *Notizie sopra l'arte* (1537-1542)

... alle Arten und Weisen, alle Fleischfarben, alle Bewegungen, alle Haltungen, alle möglichen Stadien des menschlichen Körpers und alle Empfindungen der Seele wurden zum Ausdruck gebracht... so natürlich, so lebendig, so entsprechend, dass man fast sagen möchte, dass nur die Natur selbst noch hinzufügen könnte.

M. Tramezino, *Roma trionfante*, Venedig 1544

... wer Maler ist, suche nicht mehr nach neuen und erfinderischen Haltungen, Gewandungen, nach neuen Arten, die Luft und das Schreckliche von verschiedenartig gemalten Dingen darzustellen, denn all jene Vollkommenheit, die man einem Gegenstand auf diesem Kunstgebiet geben kann, wurde diesem Werk verliehen.

G. Vasari, *Le vite*, Florenz 1568

Dieses ganze Gewölbe... ist ohne Wirkung, und seine Farbe neigt zu einem ziegelhaften und graubraunen Ton, doch werden diese Mängel ausgeglichen durch die Zeichnung...

M. De Lalande, *Voyage en Italie*, Paris 1768

Die Sixtinische Kapelle ist das Werk des grössten Genies, welches jemals die Kunst vertrat...

J. Reynolds, Brief an J. Barry, 1769

In diesem grossen Werk hatte er den Mut, die Augenbinde der Unwissenheit von aller Welt zu nehmen (die bis dahin nur gefesselt werden konnte durch das strahlendste Himmelblau, durch den glanzvollsten Lack, den flammendsten, mit Gold vermischten Zinnober), und es gelang ihm, die echten, nur aus einfachen Erden zusammengesetzten Farben wiederzufinden.

C. Rogers, *A Collection of Prints in Imitation of Drawings*, London 1778

Was die Farbgebung dieser Sammlung von Bildern betrifft, wurde der Mannigfaltigkeit der Töne nur wenig Beachtung geschenkt, jedoch ist das Ganze von Grösse und Einfachheit durchdrungen ... und die Gesamtwirkung grossartig und harmonisch.

R. DUPPA, *The Life of Michelangelo Buonarroti*, London 1806

Die Farbgebung würde diesem Werk nur Schaden zufügen; es wäre nicht mehr die geistige Vision einer jenseits jedes menschlichen Begriffs stehenden Tatsache.

G. B. NICCOLINI, 1825

Zuerst ist man verwirrt, dann begeistert, und schliesslich endet man bei der Vernichtung. Michelangelo hat den Menschen überholt...

A. DE LAMARTINE, *Vie de Michel-Ange*, in "Cours familier de Littérature" XXVI, Paris 1868

... die Farbe ist sozusagen mit seiner Komposition verschmolzen, ergänzt ihren Sinn, und auch dadurch unterscheidet sich Michelangelo von allen anderen Malern... Beim ersten Blick ist man gefesselt, beim zweiten bezaubert und — verzeihen Sie das Wort — "behext": diese Welt der Giganten ist einem fast vertraut geworden dank der eindrücklichen Magie der Farbe.

E. MONTÉGUT, 1870

Lies alle Abhandlungen über das Sublime, und doch wirst du auch dann diesen Begriff nicht verstehen... Geh jedoch in die Sixtinische Kapelle und schau; hier ist das Sublime, hier der Kontrast zwischen menschlicher Zerbrechlichkeit und der unendlichen Kraft einer Vision, die sich überwältigt und vernichtet durch ihre unvergleichliche Grösse.

E. CASTELAR Y RIPOLL, *Recuerdos de Italia*, Madrid 1872

[Die Fresken des Gewölbes] wurden als zu leblos beurteilt. Dies trifft sicher auf ihren jetzigen Zustand zu, doch als sie gemalt wurden, waren sie kräftig und glanzvoll.

C. H. WILSON, *Life and Works of Michelangelo Buonarroti*, London 1876

Worte können die Schönheit der Aktmalerei nicht beschreiben, insbesondere bei der Darstellung der Genien [die Ignudi], oder die technische Feinheit, mit welcher die Modellierung der Glieder, der Übergang vom einen zum anderen mit silbernen, durchscheinendsten Tönen bis zu den stärksten Akzenten ausgeführt wurden.

J. A. SYMONDS, *The Life of Michelangelo Buonarroti*, London 1893

Er hilft nach mit dunklerer Färbung der ausgeschiedenen Nebenräume — die Medaillonfelder sind violett, die Dreieckausschnitte neben den Thronsesseln grün — wodurch die hellen Hauptstücke mehr herauskommen und das Umspringen des Akzentes, von der Mitte auf die Seiten und wieder zurück in die Mitte, um so eindrücklicher wird... Ein Wunder, dass eine so vielgestaltige, laute Versammlung überhaupt noch zu einheitlicher Wirkung zusammengeschlossen werden konnte... Die bunten, zierlichen Muster des Quattrocento hätten hier in der That keinen Sinn gehabt, während die sich immer wiederholende weisse Farbe und die einfachen Formen den Zweck vortrefflich erfüllen, die erregten Wogen zu beruhigen.

H. WÖLFFLIN, *Die klassische Kunst*, München 1899

... das Abnorme ... wird in ihr [der Cumäischen Sibylle] zu monströser Unförmigkeit... Aber in dieser Gefälligkeit gibt es nichts Prosaisches: die intellektualistische Inspiration erreicht, obwohl sie die Sinnesgegebenheit erweitert, eine vollkommene phantastische Wirklichkeit.

A. BERTINI, *Michelangelo fino alla Sistina*, Turin 1942

Die beiden Gewölbezwickel [*die Eherne Schlange* und *Haman*] sind verbunden durch das Kreuz [des *Gerichtes*], dem Instrument der Läuterung im einen, der Erlösung im anderen. Beide weisen auf *Jonas* und seine Rizinusstaude hin. Durch die Reinigung der Seele und die Heilung der Wunden der Sünde ("*Dic verbum et sanabitur anima mea*") erreicht das Opfer Christi unter den beschattenden Armen des Schöpfers die Erlösung des Menschen im Fischzug. Und die Parabel des grünen und verdorrten Baumes findet Erfüllung, denn der Baum der Weisheit in der *Kreuzigung Hamans* und der Baum des Lebens in der *Ehernen Schlange* verbinden sich fruchtbar in der Rizinusstaude des *Jonas*, die Eiche des [*Papstes*] *Julius*, der die himmlischen Schafe füttern wird.

F. HARTT, in "The Art Bulletin", 1950

... die Zwickel und Lünetten der *Errettungen* und der *Ahnen*, bei denen Michelangelo durch Sarkasmen und Blasphemien zu seinen unglaublichen Rekonstruktionen biblischer Urgeschichte gelangte.

R. LONGHI, in "Paragone", 1953

Das Jüngste Gericht

Oh, heiliges Rom, nun kannst du wohl sagen: Nie machte mich solchen Triumphes würdig Cäsar oder die anderen der berühmten Augusteer.

G. PORRINO, Sonett für die Enthüllung des *Jüngsten Gerichts*, (1541?)

... es ist so abwechslungsreich in den Haltungen, dass wer das Werk nicht gesehen, es sich niemals vorstellen kann.

ANONIMO MAGLIABECHIANO, 1537-1542

... Auch wenn das Werk von jener Schönheit ist, die sich Eure Herrlichkeit vorstellen können, sind doch die hochwürdigen Chieter die ersten, die Nackten an einem solchen Ort als unangebracht zu empfinden, weil sie gewisse Teile ihrer Anatomie völlig entblösst zeigen...

N. SERNINI, Brief an Kardinal E. GONZAGA, 19. November 1541

Ich stehe immer noch im Bann des *Jüngsten Gerichts*. Dieses Werk ist so schön, dass ich glaube, dass an jenem Tag, da Christus in seiner Göttlichkeit wiederkehrt, er alle auffordern wird, jene Stellungen einzunehmen und jene Schönheit auszustrahlen, wie Ihr sie vorzeigt, und dass die Hölle jene Finsternis zeigen wird, die Ihr gemalt habt, denn sie könnten nicht besser dargestellt sein.

A. F. DONI, Brief an Michelangelo, 21. Januar 1543

... beim Anblick einer solchen Darstellung beklemmender Furcht im *Jüngsten Gericht* und im Bewusstsein, dass Ihr sie durchlitten habt, füllten sich meine Augen mit Tränen der Zuneigung.

P. ARETINO, Brief an Michelangelo, April 1544

... tausenderlei Häresien, und die schlimmste davon ist zweifellos dieser heilige Bartholomäus ohne Bart...

M. PITTI, Brief an Vasari, 1. Mai 1545

Und Ihr, der Ihr ein Christ seid, Ihr lasst ... wie bei einem wahrhaften Schauspiel, den Anstand bei Märtyrern und Jungfrauen unberücksichtigt und beachtet selbst jene die Schamteile verhüllende Gebärde nicht, so dass sogar ein Bordellhalter die Augen schliessen würde, um dies nicht zu sehen.

P. ARETINO, Brief an Michelangelo, November 1545

... wer diese päpstliche Kapelle sieht, kann keine andere dieser Bezeichnung würdige Malerei mehr betrachten.

A. CALMO, Brief an Michelangelo, 1552

Es scheint mir nicht lobenswert, dass Kinder, Frauen und Mädchen jene augenscheinlich unmoralischen Gestalten erblicken, denn nur die Eingeweihten können die tiefen darin verborgenen Allegorien erfassen.

L. Dolce, *Dialogo della pittura*, Venedig 1557

... es gibt keine Wiederholung; keine Figur gleicht der anderen; und um das zu erreichen, musste [Michelangelo] die Verehrung, die Achtung, die geschichtliche Wahrheit und die Ehre verbannen...

G. A. Gilio, *Due dialogi*, Camerino 1564

... sein prachtvolles *Gericht* ist heute das Vorbild und die Lehre all jener, die sich danach sehnen, Maler zu werden.

P. Mini, *Difesa della città di Firenze*, Lyon 1577

... es gibt auf der Welt nichts, das mehr überarbeitet, vollkommener und absoluter wäre.

J.-J. Boissard, *Romanae urbis topographiae et antiquitatum*, Frankfurt 1597-1602

Als sich [el Greco] die Gelegenheit bot, einige Figuren des *Gerichts* zu retouchieren... rief er aus, wenn das ganze Werk vernichtet würde, würde er es so naturgetreu und sorgsam wieder herstellen, dass es ihm in der Güte der Malerei nicht nachstehen würde.

G. Mancini, *Considerazioni sulla pittura* (1617-1624)

... eine der schönsten Malereien der Welt.

H. Peacham, *The Compleat Gentleman* (1622)

Unser grösstes Glaubensbekenntnis ... wurde dargestellt oder besser entstellt durch diesen Prahlhans der Malerei, Michelangelo...

R. Fréart, *Idée de la perfection de la peinture*, Le Mans 1662

... es scheint, dass viele jener Figuren eine schlechte Perspektive aufweisen...

C. C. Malvasia, *Felsina pittrice*, Bologna 1678

... ein verworrener Vorwurf, in welchem die Unordnung am Platze ist... eine unharmonische Malerei.

Ch. de Brosses, *Lettres familières sur l'Italie* (1739-1755)

... die Gruppen sind darin so angeordnet, dass sie unter sich überhaupt keine Verbindung besitzen...

M. De Lalande, 1768

... eine verworrene Ansammlung von Gestalten ohne Ordnung, Farbe und Wirkungen...

J.-O. Bergeret de Grancourt, *Voyage en Italie* (1773-1774)

Wenn man schaudert, wenn alle Sinne in Unordnung geraten, wenn sich in der Seele ein unerklärlicher Aufruhr erhebt, fragt man nicht nach dem Wie des Künstlers, wenn er die Regeln befolgt hat...

Abbé Hauchecorne, *Vie de Michel-Ange Buonarroti*, Paris 1783

Ich konnte nur sehen und anstaunen. Die innere Sicherheit und Männlichkeit des Meisters, seine Grossheit geht über allen Ausdruck.

W. Goethe, *Italienische Reise* (1786)

Nirgends wird sich vermutlich eine ähnliche Nichtigkeit moralischer Wirkung oder von Pathetik finden...

A.C. Quatremère de Quincy, *Histoire de la vie et des ouvrages de Michel-Ange Buonarroti*, Paris 1835

... ein Kolossalwerk, das in der prunkvollen Malerei wie eine eigene Welt ersteht.

E. Delacroix, in "Revue des Deux Mondes" 1837

... diese Göttliche Komödie in voller Handlung...

C.-C. Lafayette, *Dante, Michel-Ange, Machiavel*, Paris 1852

Ich sehe darin nur treffende Einzelheiten, treffend wie ein Faustschlag; doch das Interesse, die Einheit, die Verkettung all dessen sind nicht vorhanden.

E. Delacroix, (1822-1863)

Es kann nichts Höheres geschaffen werden, nichts Abstrakteres, das Michelangelo in einer so konkreten Form hätte darstellen können, ein so metaphysischer Einfall; dies allein genügte, um die Macht seines Genies zu bezeugen.

E. Montégut, 1870

... ein Werk von kalter und profaner Natur...

F. Gregorovius, *Geschichte der Stadt Rom im Mittelalter*, Stuttgart 1858-1872

... es ist wie eine unvollendete Skulptur auf dunklem Hintergrund, da und dort von einem nicht zu beschreibenden Licht geheimnisvoll erleuchtet.

G. Mongeri, in "Michelangiolo Buonarroti. Ricordo al popolo italiano", Florenz 1875

So gross diese unvergleichliche Komposition auch ist, so kühn die gelehrte Einzelheit, eine Eigenschaft fehlt diesem Werk: die überzeugende Beredsamkeit.

P. Mantz, in "Gazette des Beaux-Arts", 1876

So herrlich die Gestalten im *Jüngsten Gericht* in ihrem Aussehen und der Zeichnung sind, sind sie doch mit Ähnlichkeiten und Monotonie behaftet...

C. H. Wilson, 1876

... diese italische Apokalypse...

D. Levi, *La mente di Michelangelo*, Mailand 1883

... krankhafte und beinahe blasphemische Verteidigung nicht eines heidnischen und nicht eines christlichen, sondern eines geradezu italo-revolutionären Weltunterganges.

A. Tari, *Saggi di critica*, Trani 1886

Das Ganze wird von einer einzigen Empfindung beherrscht, einer todesähnlichen Furcht.

E. Ollivier, *Michel-Ange*, Paris 1892

... dieses Werk ruft vielmehr Erstaunen als Ergriffenheit hervor.

L. Roger-Milès, *Michel-Ange, sa vie, son œuvre*, Paris 1893

Er hatte das Bedürfnis, in Massen sich auszuschwelgen. Im *Jüngsten Gericht*... geniesst er das prometheische Glück, alle Möglichkeiten der Bewegung, Stellung, Verkürzung, Gruppierung der nackten menschlichen Gestalt in die Wirklichkeit rufen zu können. Er will diese Massen überwältigend geben, den Beschauer überfluten, und er hat die Absicht erreicht. Nichts einzelnes kommt mehr zur Geltung, es ist nur noch auf Gruppenmassen abgesehen. An Christus selbst ist die Figur der Maria angehängt, ganz unselbständig ...

H. Wölfflin, 1899

All diese Körper ... besitzen nicht mehr diese ergreifende Anmut der Gewölbemalerei. Überwältigend durch ihre Proportionen, stellen sie nur Kopien Michelangelos selbst dar.

J. Davray, *Michel-Ange*, Paris 1937

Dieser unbändige Wille des Michelangelo, die Gestalten in viele isolierte Gruppen zu gliedern, indem er die Formen in die engen Grenzen der Gruppen zu zwingen wusste, die keine wirkliche Beziehung zum Rahmen haben, sondern nur eine gegenseitige rhythmische Ordnung besitzen ...

G. Briganti, *Il Manierismo*, Rom 1945

Cappella Paolina

... Michelangelo hat nur die Vollkommenheit der Kunst zu erreichen versucht, denn es gibt weder Landschaften, weder Bäume noch Häuser, noch gewisse Abwechslungen oder Entspannungen ...

G. Vasari, 1568

Im furchtbaren Gericht verwendete er einen zweiten, weniger ansprechenden, und in der Paolina ... einen dritten, allen anderen unterlegenen Stil.

G. P. Lomazzo, 1590

... Malereien, die mit der Kraft höchster Intelligenz ausgedrückt sind ...

F. Scannelli, *Il microcosmo della pittura*, Cesena 1657

... die matten Überreste seiner Kraft ...

M. Pilkington, *The Gentleman's and Connoisseur's Dictionary of Painters*, London 1770

... die Ausführung ... mangelt an Eingebung und Kraft.

J. S. Harford, *The Life of Michelangelo Buonarroti*, London 1857

Die Abwesenheit jeglichen Naturstudiums ist noch offensichtlicher als im *Jüngsten Gericht* ...

C. H. Wilson, 1876

Die Geschmeidigkeit, die Gewandtheit, die Mitleidenschaft, mit welchen Michelangelo die Aktmalerei betrieb ... sind verschwunden.

J. A. Symonds, 1893

Das ist freilich nicht mehr der klassische Stil. Aber es ist auch nicht senile Gleichgültigkeit: in der Energie der Darstellung übertrifft Michelangelo sich selber ... Gellende Linien durchzucken das Bild. Schwere geballte Massen und daneben gähnende Leere.

H. Wölfflin, 1899

Nichts erinnert in diesen beiden Kompositionen an den grossen Michelangelo: Verwirrung in der Gesamtschau, Trokkenheit der Details, Armut in der Farbgebung ...

G. Clausse, *Les San Gallo*, Paris 1900-1902

Man fühlt sich schwebend und sinnend vor der plastischen Konkretisierung und der Grandiosität der meisten Figuren ...

V. Mariani, *Gli affreschi di Michelangelo nella Cappella Paolina*, Rom 1932

Die Mängel, im *Gericht* von den mitreissenden Vorzügen verdeckt, verderben die beiden Freskomalereien der Paolina ...

P. Toesca, *Michelangelo*, in "Enciclopedia italiana" XXIII, Rom 1934

... extreme Phase des schon im *Gericht* beobachteten Prozesses formaler Verwandlung, eine schmerzhafte und heftige Bejahung der expressionistischen Tendenzen, die sich in der späten buonarrotischen Tätigkeit verstärken.

E. Carli, *Michelangelo*, Bergamo 1942

... schon im Gericht hatte sich die Komposition von jeder ergänzenden Beziehung zu dem sie umschliessenden Raum befreit ... das Motiv der herausgeschnittenen Figuren in der Paolina ist nichts anderes als eine Weiterentwicklung dieser kompositorischen Auffassung, die sich nicht nur von jeder ergänzenden Beziehung zum Rahmen befreite, sondern dazu führte, in nichts mit dem sie umschliessenden Raum übereinzustimmen.

G. Briganti, 1945

Die Bekehrung Sauls

[Christus] scheint bar jedes Dekors in wenig ehrerbietiger Haltung vom Himmel zu stürzen ...

G. A. Gilio, 1564

Machtvoller kann die *Bekehrung des Paulus* nicht gemalt werden, als es hier geschehen ist.

H. Wölfflin, 1899

Die Komposition zerfällt in einzelne Figuren und Figurengruppen, die durch ihre kubische Wirkung und durch die zentrifugalen Kräfte, die sie versinnlichen, von einer ungeheuren räumlichen Spannung erfüllt sind.

M. Dvorák, *Geschichte der italienischen Kunst im Zeitalter der Renaissance*, München 1927-1928

... es scheint als hätte der Künstler versucht, seine Ausdruckskraft in einer eindrücklicheren Komplexität als dem *Gericht* zu verdichten.

V. Mariani, in "Il Vaticano" 1946

... eine Totenklage und Dichtung ohne Hoffnung ... die den leidvollen Seelenzustand widerspiegelt, der das Alter des Künstlers kennzeichnete ...

E. Carli, *Tutta la pittura di Michelangelo*, Mailand 1951

Kreuzigung Petri

... die Vielzahl der Figuren, die Genauigkeit der Zeichnung und die schöne, lebhafte Farbgebung lassen es als unvergleichliches Werk erscheinen.

A. Taja, *Descrizione del Palazzo Apostolico vaticano*, Rom 1750

... Die *Kreuzigung des hl. Petrus* ist [wie das *Gericht*] ein Fehlschlag.

B. Berenson, *The Florentine Painters of the Renaissance*, New York - London 1896

Diese letzte Freskomalerei zeigt uns den grossartigen, wieder lebendigen Michelangelo der späten Jahre, der sich im Besitze einer geistigen Gewissheit erneuerte. Auch die Farbe trägt dazu bei, dieses Gefühl der Sicherheit im Ausdruck zu steigern ... beinahe eine vertrauensvolle Rückkehr zur florentinischen Plastik des 15. Jahrhunderts.

V. Mariani, 1946

Die Farbe in der Kunst Michelangelos

Tafelverzeichnis

Die in eckigen Klammern gesetzten arabischen Zahlen in den Bildlegenden beziehen sich auf die Schwarzweiss-Illustrationen im Oeuvre-Verzeichnis (Seite 85 bis 106). • In den Bildlegenden ist ferner die Originalbreite (in cm) des wiedergegebenen Werkes oder Ausschnittes aufgeführt.

TAFEL I TONDO DONI Florenz, Uffizi [Nr. 8]
Die heilige Familie (Durchmesser 120 cm).

TAFEL II TONDO DONI Florenz, Uffizi [Nr. 8]
Christusknabe, Ausschnitt (natürliche Grösse).

TAFEL III TONDO DONI Florenz, Uffizi [Nr. 8]
Maria, Ausschnitt (natürliche Grösse).

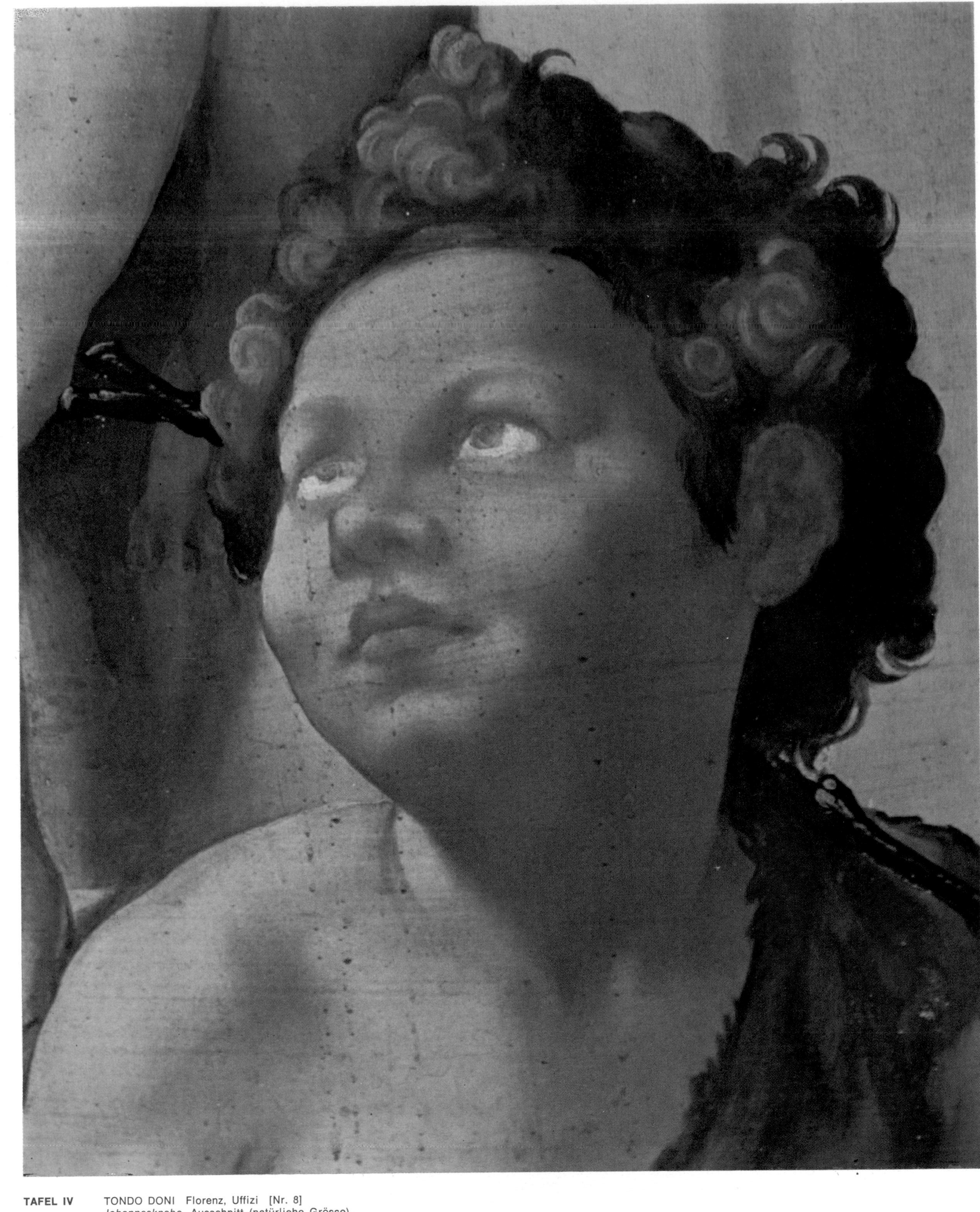

TAFEL IV TONDO DONI Florenz, Uffizi [Nr. 8]
Johannesknabe, Ausschnitt (natürliche Grösse).

TAFEL V TONDO DONI Florenz, Uffizi [Nr. 8]
Nackte Jünglinge, Ausschnitt (natürliche Grösse).

TAFEL VI DECKE DER SIXTINISCHEN KAPELLE Vatikan [Nr. 15]
Sintflut, Ausschnitt (natürliche Grösse).

TAFEL VII DECKE DER SIXTINISCHEN KAPELLE Vatikan [Nr. 15]
Sintflut, Ausschnitt (175 cm).

TAFEL VIII DECKE DER SIXTINISCHEN KAPELLE Vatikan [Nr. 17]
Sündenfall, Ausschnitt (230 cm).

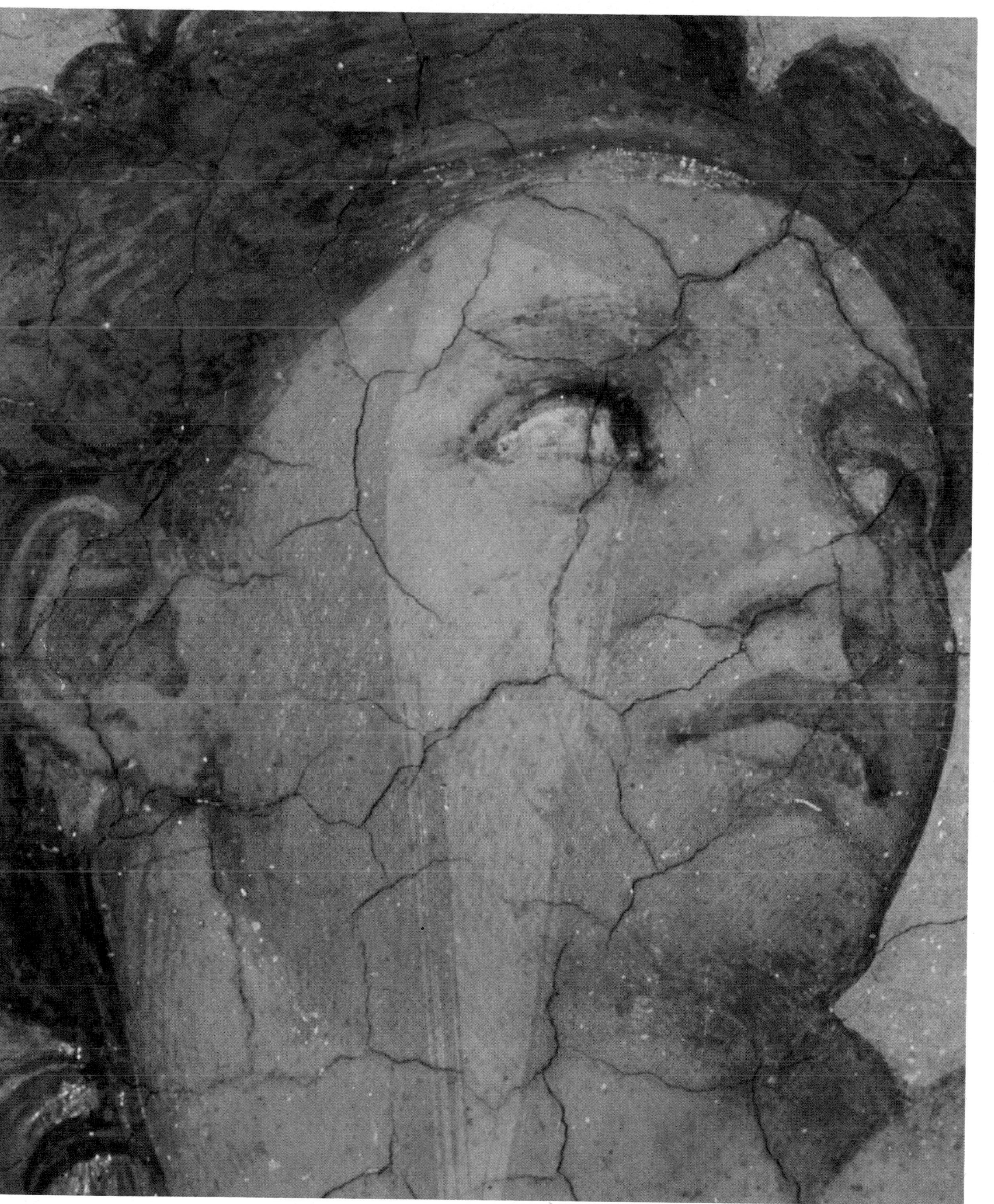

TAFEL IX DECKE DER SIXTINISCHEN KAPELLE Vatikan [Nr. 17]
Sündenfall, Ausschnitt (natürliche Grösse).

TAFEL X DECKE DER SIXTINISCHEN KAPELLE Vatikan [Nr. 19]
Erschaffung Adams, Ausschnitt (42 cm).

TAFEL XI DECKE DER SIXTINISCHEN KAPELLE Vatikan [Nr. 19]
Erschaffung Adams, Ausschnitt (60 cm).

TAFEL XII DECKE DER SIXTINISCHEN KAPELLE Vatikan [Nr. 20]
Gott scheidet Wasser und Erde, Ausschnitt (37 cm).

TAFEL XIII DECKE DER SIXTINISCHEN KAPELLE Vatikan [Nr. 21]
Erschaffung der Gestirne, Ausschnitt (210 cm).

TAFEL XIV DECKE DER SIXTINISCHEN KAPELLE Vatikan [Nr. 24 A]
Nackter Jüngling, Ausschnitt (50 cm).

TAFEL XV DECKE DER SIXTINISCHEN KAPELLE Vatikan [Nr. 25 C]
Nackter Jüngling, Ausschnitt (50 cm).

TAFEL XVI DECKE DER SIXTINISCHEN KAPELLE Vatikan [Nr. 26 A]
Nackter Jüngling, Ausschnitt (50 cm).

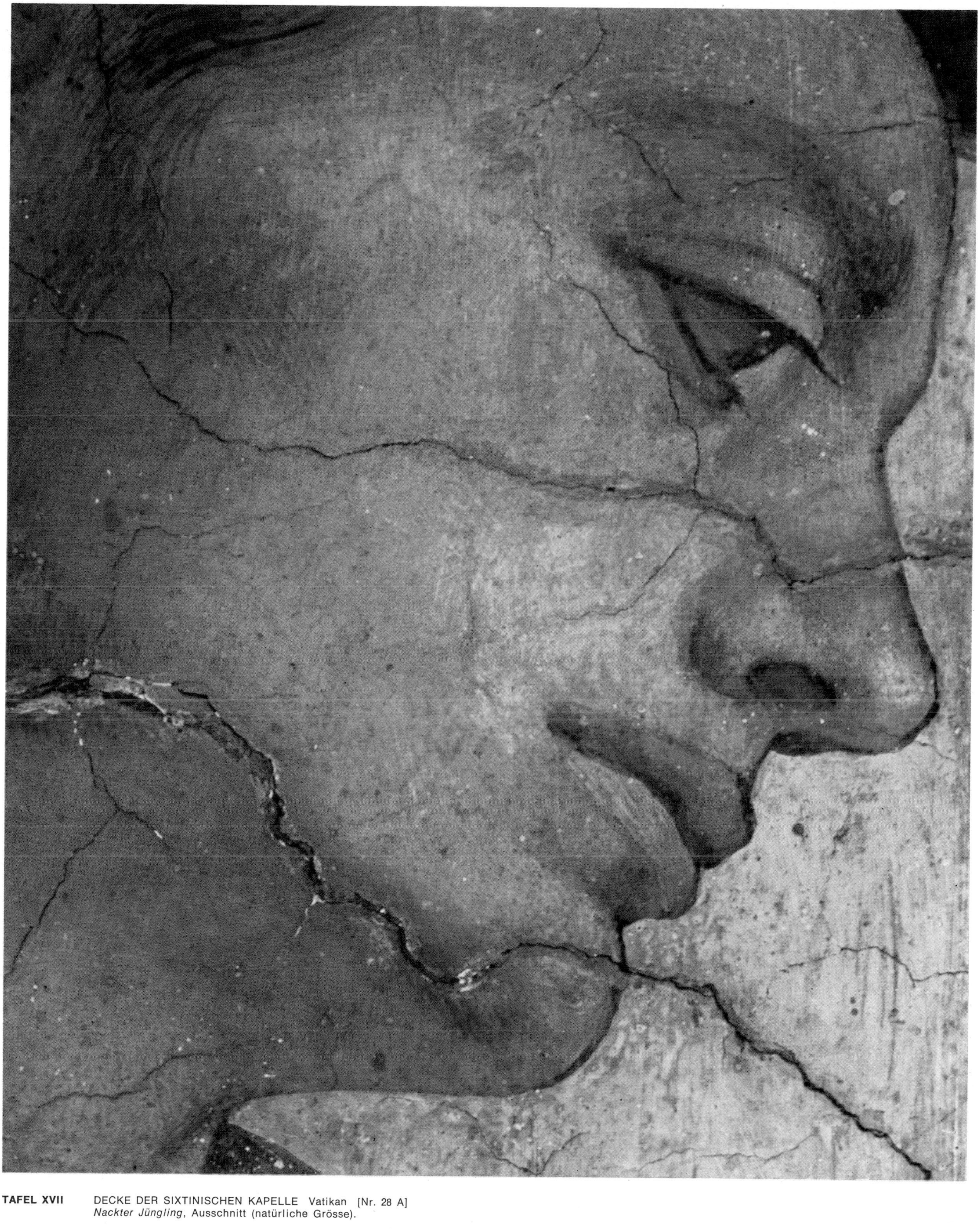

TAFEL XVII DECKE DER SIXTINISCHEN KAPELLE Vatikan [Nr. 28 A]
Nackter Jüngling, Ausschnitt (natürliche Grösse).

TAFEL XVIII DECKE DER SIXTINISCHEN KAPELLE Vatikan [Nr. 30 C]
Nackter Jüngling mit Stoffbündel, Ausschnitt (51 cm).

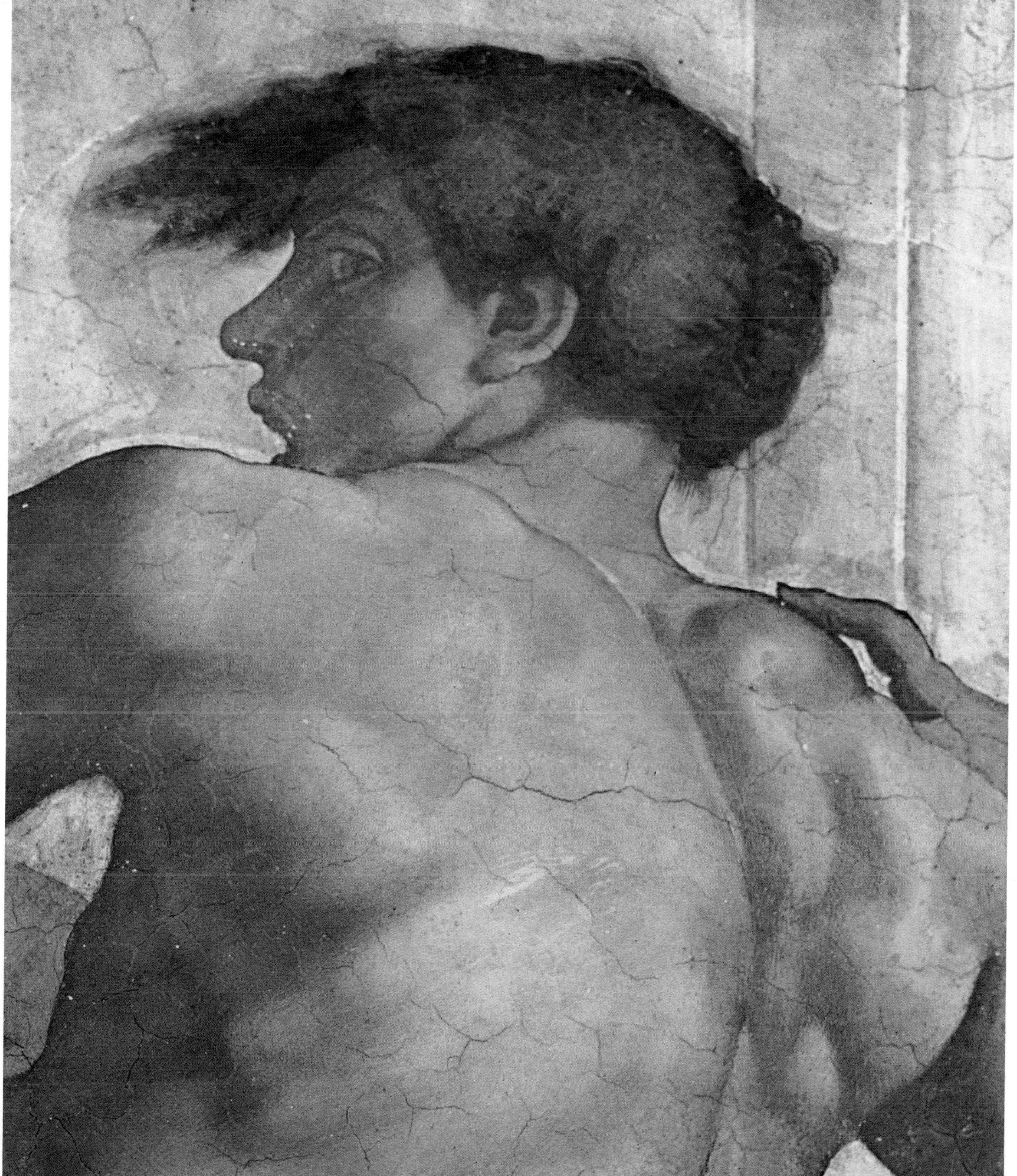

TAFEL XIX DECKE DER SIXTINISCHEN KAPELLE Vatikan [Nr. 30 C]
Nackter Jüngling, Ausschnitt (67 cm).

TAFEL XX DECKE DER SIXTINISCHEN KAPELLE Vatikan [Nr. 32 A]
Nackter Jüngling, Ausschnitt (42 cm).

TAFEL XXI DECKE DER SIXTINISCHEN KAPELLE Vatikan [Nr. 32 A]
Nackter Jüngling mit Füllhorn, Ausschnitt (84 cm).

TAFEL XXII DECKE DER SIXTINISCHEN KAPELLE Vatikan [Nr. 33]
Prophet Zacharias, Ausschnitt (180 cm).

TAFEL XXIII DECKE DER SIXTINISCHEN KAPELLE Vatikan [Nr. 34]
Delphische Sibylle, Ausschnitt (130 cm).

TAFEL XXIV DECKE DER SIXTINISCHEN KAPELLE Vatikan [Nr. 39]
Prophet Ezechiel, Ausschnitt (135 cm).

TAFEL XXV DECKE DER SIXTINISCHEN KAPELLE Vatikan [Nr. 36]
Prophet Isaias, Ausschnitt (101 cm).

TAFEL XXVI DECKE DER SIXTINISCHEN KAPELLE Vatikan [Nr. 37]
Eritreische Sibylle, Ausschnitt (134 cm).

TAFEL XXVII DECKE DER SIXTINISCHEN KAPELLE Vatikan [Nr. 38]
Cumäische Sibylle (230 cm).

TAFEL XXVIII DECKE DER SIXTINISCHEN KAPELLE Vatikan [Nr. 35]
Prophet Joel, Ausschnitt (106 cm).

TAFEL XXIX DECKE DER SIXTINISCHEN KAPELLE Vatikan [Nr. 40]
Prophet Daniel (261 cm).

TAFEL XXX DECKE DER SIXTINISCHEN KAPELLE Vatikan [Nr. 41]
Persische Sibylle, Ausschnitt (142 cm).

TAFEL XXXI DECKE DER SIXTINISCHEN KAPELLE Vatikan [Nr. 42]
Libysche Sibylle, Ausschnitt (181 cm).

TAFEL XXXII DECKE DER SIXTINISCHEN KAPELLE Vatikan [Nr. 43]
Prophet Jeremias, Ausschnitt (162 cm).

TAFEL XXXIII DECKE DER SIXTINISCHEN KAPELLE Vatikan [Nr. 44]
Prophet Jonas, Ausschnitt (173 cm).

TAFEL XXXIV DECKE DER SIXTINISCHEN KAPELLE Vatikan [Nr. 40 D]
Schildtragender Putto, Ausschnitt (68 cm).

TAFEL XXXV DECKE DER SIXTINISCHEN KAPELLE Vatikan [Nr. 46 A]
David und Goliath, Ausschnitt (243 cm).

TAFEL XXXVI DECKE DER SIXTINISCHEN KAPELLE Vatikan [Nr. 45 A]
Judith und Holofernes, Ausschnitt (259 cm).

TAFEL XXXVII DECKE DER SIXTINISCHEN KAPELLE Vatikan [Nr. 48 A]
Bestrafung Hamans, Ausschnitt (324 cm).

TAFEL XXXVIII DECKE DER SIXTINISCHEN KAPELLE Vatikan
Figuren in den Stichkappen Nr. 56 A (304 cm) und Nr. 49 A (291 cm).

TAFEL XXXIX DECKE DER SIXTINISCHEN KAPELLE Vatikan [Nr. 55 A und B]
Stichkappe und bronzefarbene Männer (308 cm).

TAFEL XL DECKE DER SIXTINISCHEN KAPELLE Vatikan
Figuren der Lünetten Nr. 67 (183 cm) und Nr. 61 (186 cm).

TAFEL XLI DECKE DER SIXTINISCHEN KAPELLE Vatikan [Nr. 65]
König Josaphat, Ausschnitt (99 cm).

TAFEL XLII DAS JÜNGSTE GERICHT Vatikan, Sixtinische Kapelle [Nr. 73]
Christus als Weltenrichter und Maria (129 cm).

TAFEL XLIII DAS JÜNGSTE GERICHT Vatikan, Sixtinische Kapelle [Nr. 73]
Der hl. Paulus, Ausschnitt von Fig. 18 (natürliche Grösse).

TAFEL XLIV DAS JÜNGSTE GERICHT Vatikan, Sixtinische Kapelle [Nr. 73]
Longinus, Simon der Eiferer und Philippus (174 cm.).

TAFEL XLV DAS JÜNGSTE GERICHT Vatikan, Sixtinische Kapelle [Nr. 73]
Gruppe von *Seligen* (153 cm).

TAFEL XLVI DAS JÜNGSTE GERICHT Vatikan, Sixtinische Kapelle [Nr. 73]
Auserwählte steigen mit Hilfe von Engeln in den Himmel (162 cm).

TAFEL XLVII DAS JÜNGSTE GERICHT Vatikan, Sixtinische Kapelle [Nr. 73]
Der hl. Sebastian (122 cm).

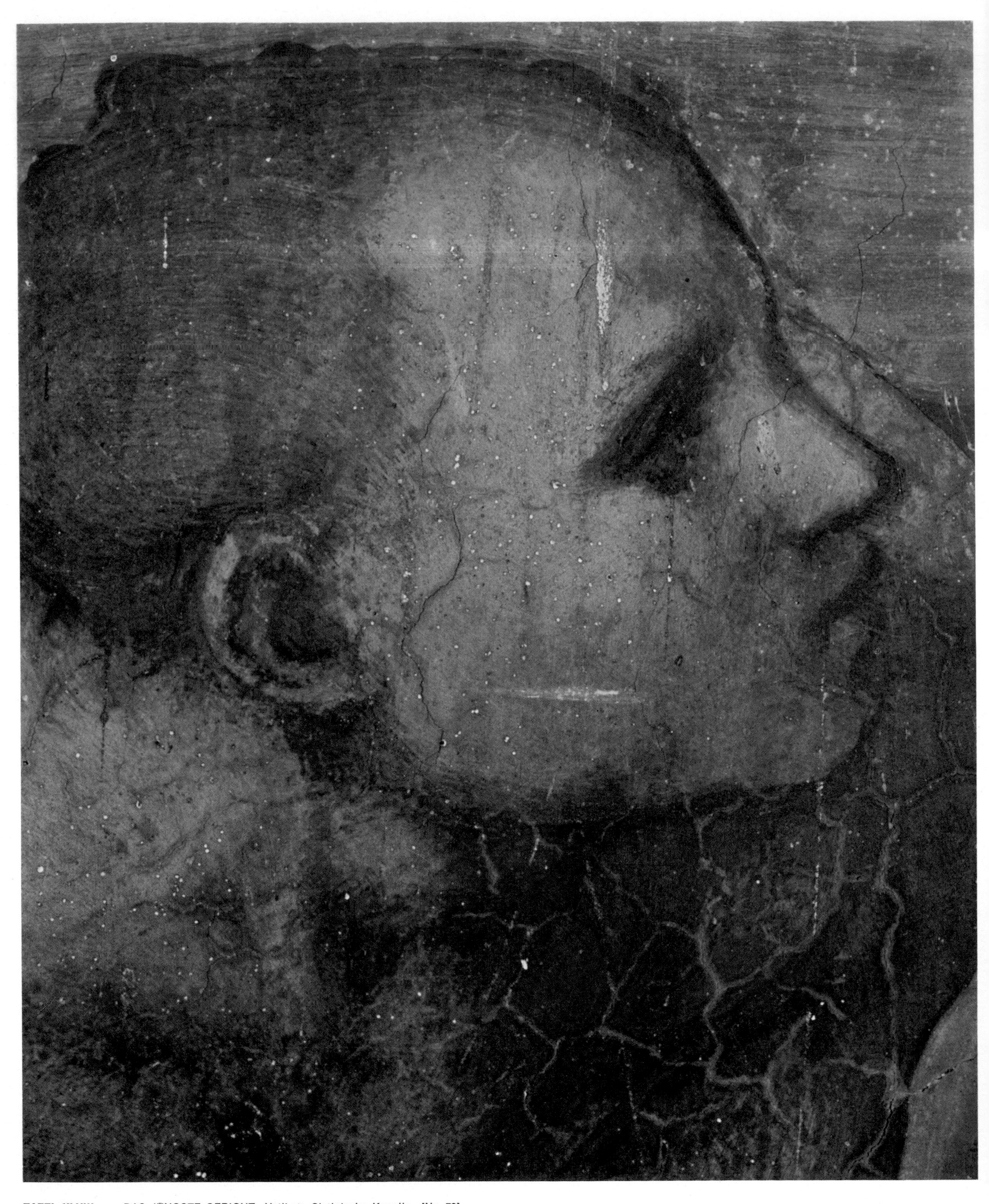

TAFEL XLVIII DAS JÜNGSTE GERICHT Vatikan, Sixtinische Kapelle [Nr. 73]
Figur eines *Auferstandenen* (natürliche Grösse).

TAFEL IL DAS JÜNGSTE GERICHT Vatikan, Sixtinische Kapelle [Nr. 73]
Figur eines *Auserwählten* (natürliche Grösse).

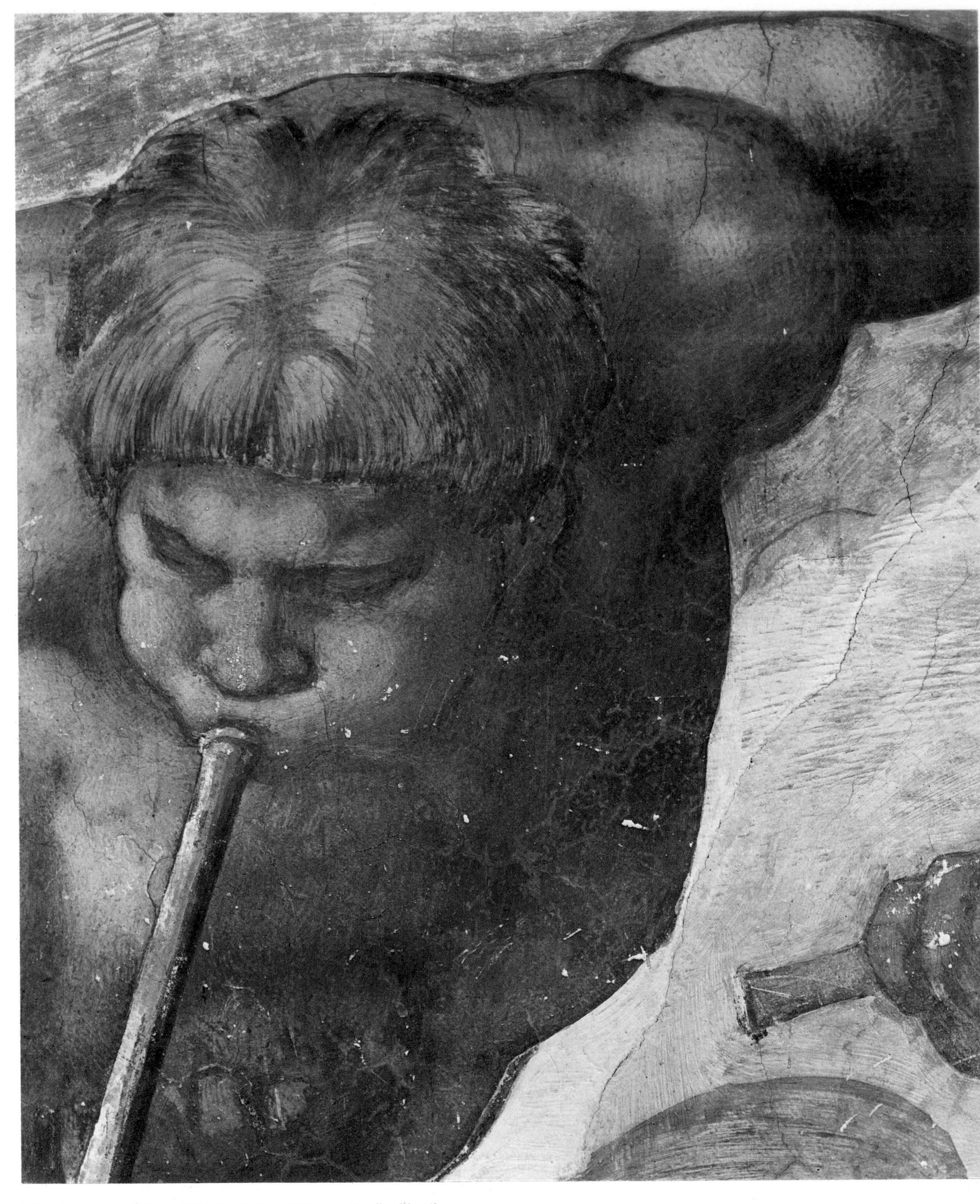

TAFEL L DAS JÜNGSTE GERICHT Vatikan, Sixtinische Kapelle [Nr. 73]
Posaunenengel, Ausschnitt (44 cm).

TAFEL LI DAS JÜNGSTE GERICHT Vatikan, Sixtinische Kapelle [Nr. 73]
Der Geizige, Ausschnitt von Fig. 41 (78 cm).

TAFEL LII DAS JÜNGSTE GERICHT Vatikan, Sixtinische Kapelle [Nr. 73]
Auferstehung der Toten, Ausschnitt (235 cm).

TAFEL LIII DAS JÜNGSTE GERICHT Vatikan, Sixtinische Kapelle [Nr. 73]
Die Verdammten mit Dämonen und Minos (202 cm).

TAFEL LIV DIE BEKEHRUNG SAULS Vatikan, Cappella Paolina [Nr. 77]
Ausschnitt mit sich aufbäumendem Pferd (202 cm).

TAFEL LV DIE BEKEHRUNG SAULS Vatikan, Cappella Paolina [Nr. 77]
Gruppe erschreckter Soldaten, Ausschnitt (114 cm).

TAFEL LVI DIE BEKEHRUNG SAULS Vatikan, Cappella Paolina [Nr. 77]
Ausschnitt eines Soldaten im Vordergrund (63 cm).

TAFEL LVII DIE BEKEHRUNG SAULS Vatikan, Cappella Paolina [Nr. 77]
Der zu Boden gestürzte Saul, Ausschnitt (101 cm).

TAFEL LVIII KREUZIGUNG PETRI Vatikan, Cappella Paolina [Nr. 78]
Figurengruppe rechts oben (151 cm).

TAFEL LIX KREUZIGUNG PETRI Vatikan, Cappella Paolina [Nr. 78]
Der hl. Petrus, Ausschnitt (41 cm).

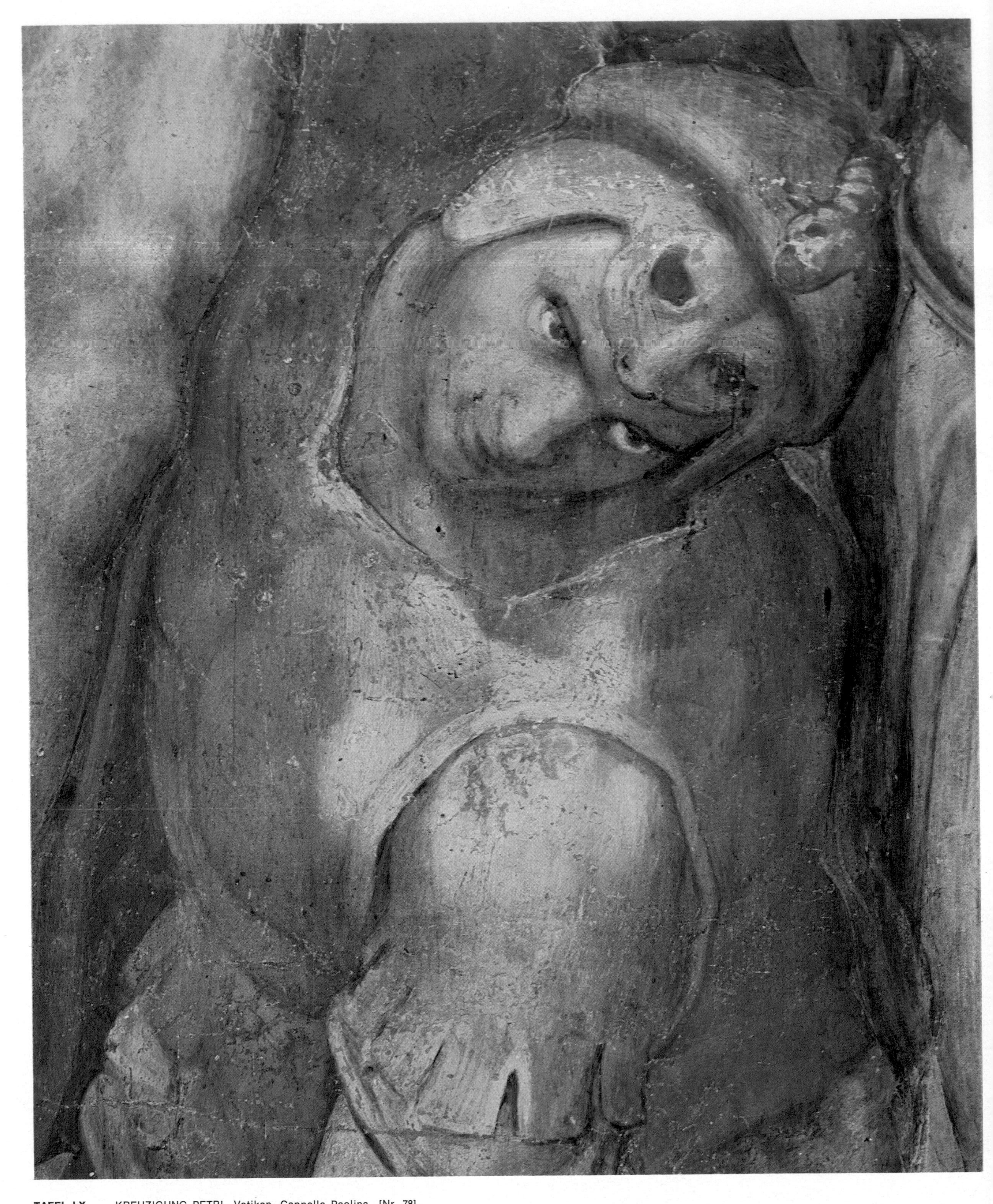

TAFEL LX KREUZIGUNG PETRI Vatikan, Cappella Paolina [Nr. 78]
Soldat rechts vom Kreuz, Ausschnitt (76 cm).

TAFEL LXI KREUZIGUNG PETRI Vatikan, Cappella Paolina [Nr. 78]
Zwei Figuren rechts vom Kreuz, Ausschnitt (74 cm).

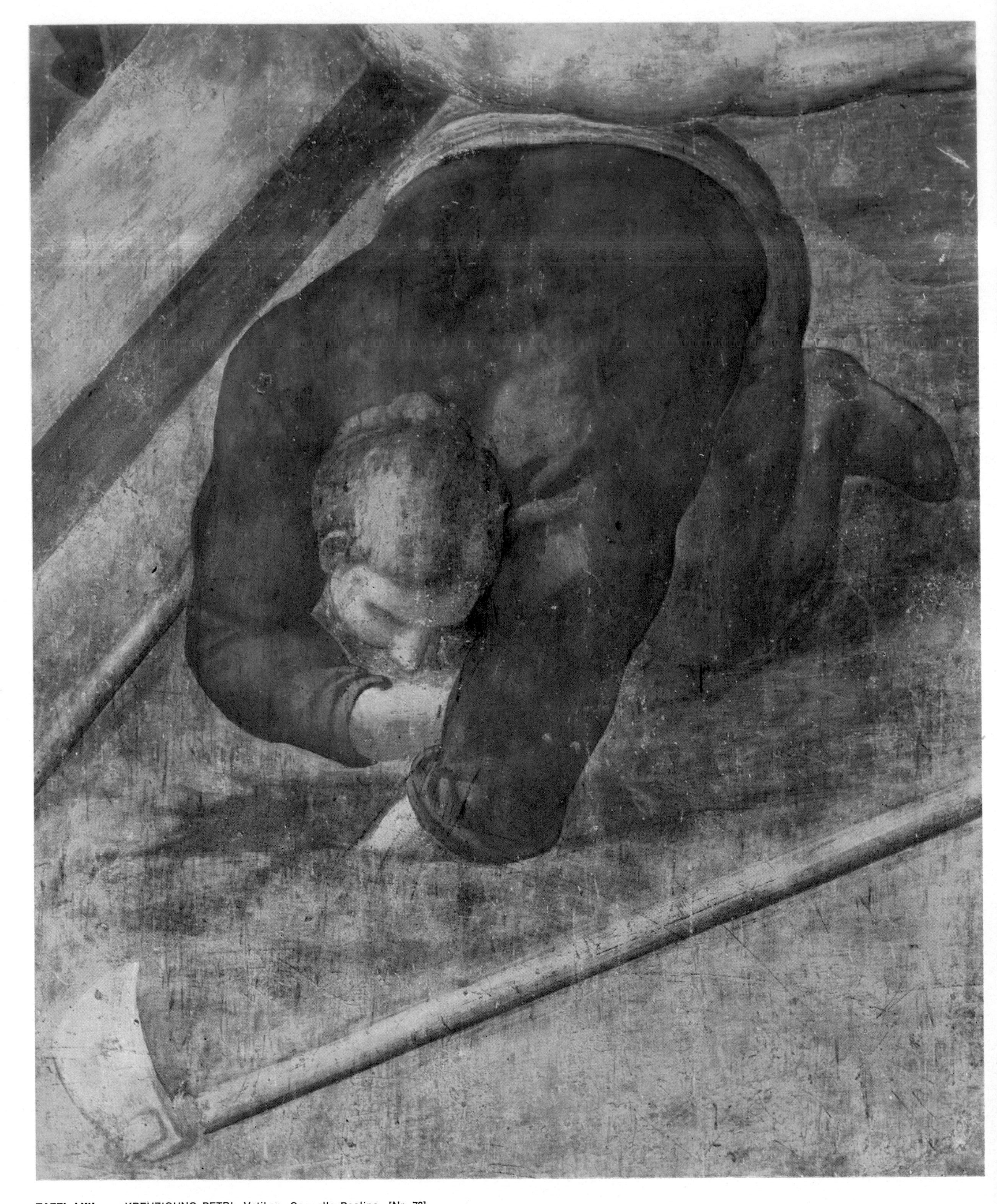

TAFEL LXII KREUZIGUNG PETRI Vatikan, Cappella Paolina [Nr. 78]
Figur des Gräbers unter dem Kreuz (95 cm).

TAFEL LXIII KREUZIGUNG PETRI Vatikan, Cappella Paolina [Nr. 78]
Gruppe Trauernder (101 cm).

TAFEL LXIV KREUZIGUNG PETRI Vatikan, Cappella Paolina [Nr. 78]
Figurengruppe rechts vom Kreuz (108 cm).

Analyse des malerischen Schaffens Michelangelos

Um bei jedem Werk sofort über alle technischen Belange Bescheid zu wissen, ist nach der Katalognummer der Gemälde (die übrigens, soweit es möglich war, chronologisch geordnet sind und auf die in den Texten bei der Erwähnung der betreffenden Werke hingewiesen wird) eine Reihe von Zeichen angefügt. Sie beziehen sich auf: 1. die Ausführung des Werkes, d.h. in welchem Ausmass es ein eigenhändiges Werk des Meisters ist; 2. die Technik; 3. die verwendete Unterlage; 4. den Ort, an dem es sich zur Zeit befindet; 5. und auf folgende weitere Angaben: ob das Werk signiert, datiert, vollständig erhalten ist und ob es vom Künstler vollendet wurde. Die Zahlen bezeichnen oben: die Masse in cm (Höhe und Breite), und unten: die Datierung. Wenn diese Angaben ungewiss sind oder nur annähernd gemacht werden können, befindet sich vor oder nach den Zahlen ein Sternchen (*), je nachdem, ob sich die Unsicherheit auf die vorausgehende oder nachfolgende Periode bezieht. Die Beschreibungen geben die in der modernen Kunstgeschichte vorherrschenden Meinungen wieder. Erwähnenswerte Meinungsverschiedenheiten und genauere Hinweise finden sich im Text.

Ausführung

eigenhändiges Werk

mit Gehilfen

Mitarbeit anderer Künstler

ausgedehnte Mitarbeit anderer Künstler

Werkstatt

überwiegend zugeschrieben

überwiegend abgelehnt

traditionsgemäss zugeschrieben

neuerdings zugeschrieben

Technik

Öl

Fresko

Tempera

Unterlage

Holz

Mauer

Leinwand

Standort

allgemein zugänglich

Privatsammlung

Standort unbekannt

verschollen

Zusätzliche Angaben

Signiertes Werk

Datiertes Werk

Unvollständiges oder fragmentarisches Werk

Unvollendetes Werk

Wiedergabe der Zeichen im Katalog

Literaturangaben

Die ausserordentlich zahlreiche Literatur über Michelangelo bis zum Jahre 1926 wurde von E. STEINMANN - R. WITTKOWER [Leipzig 1927] in der *Michelangelo Bibliographie* zusammengefasst. Diese wurde ergänzt von H. W. SCHMIDT in: *Michelangelo im Spiegel seiner Zeit* von E. STEINMANN (Leipzig 1930). Später kam die Sammlung der Studien von P. CHERUBELLI, *Michelangelo Buonarroti nel quarto centenario del ... Giudizio* [Florenz 1942] heraus, dann von P. BAROCCHI *La Vita di Michelangelo* von G. Vasari (Neapel 1962) und schliesslich von P. MELLER ein Sammelband *Michelangelo, artista, pensatore e scrittore* (Novara 1965).

Die ausgedehnteste Urkundensammlung über den Künstler verdankt man G. MILANESI, die in den: *Lettere di Michelangelo ... coi ricordi ed i contratti artistici* herausgegeben wurde (Florenz 1875). Eine noch vollständigere Publikation unter Leitung von A. FORTUNA ("Il Vasari" 1957-1966) ist im Erscheinen begriffen. Wesentlich sind ausserdem: B. VARCHI, *Due lezzioni*, Florenz 1549; G. VASARI, *Le Vite*, Florenz 1550 und 1568; A. CONDIVI, *Vita di Michelangelo Buonarroti*, Rom 1553.

Erwähnenswert sind die Studien von H. THODE, *Michelangelo und das Ende der Renaissance*, Berlin 1902-1912 und 1912-20; id., *Michelangelo*, Berlin 1908-13; A. BERTINI, *Michelangelo fino alla Sistina*, Turin 1942; V. MARIANI, *Michelangelo*, Turin 1942; id., *Michelangelo, pittore*, Mailand 1964; E. CARLI, *Michelangelo*, Bergamo 1942 und 1946; id., *Tutta la pittura di Michelangelo*, Mailand 1951 und 1964; Ch. DE TOLNAY, *Michelangelo I-V*, Princeton 1943-60; H. VON EINEM, *Michelangelo*, Stuttgart 1959; J. S. FREEDBERG, *Painting of the High Renaissance*, Cambridge (Mass.) 1961; L. GOLDSCHEIDER, *Michelangelo*, Köln 1964; R. SALVINI (im oben bereits erwähnten Sammelband, Novara 1965). Literatur nur auf die Sixtina bezogen: E. STEINMANN, *Die Sixtinische Kapelle*, München 1901-05; R. SALVINI - E. CAMESASCA - C. L. RAGGHIANTI, *La Cappella Sistina in Vaticano*, Mailand 1965; das Deckenfresko im besonderen beschrieben: H. WÖLFFLIN, *Die Sixtinische Decke Michelangelos*, in: "Repertorium für Kunstwissenschaft" 1890; E. WIND, in: "Gazette des Beaux-Arts" 1944; F. HARTT, in: "The Art Bulletin" 1905; J. WILDE, *The Decoration of the Sistine Chapel*, London 1958; das Jüngste Gericht behandelten: D. REDIG DE CAMPOS - B. BIAGETTI, *Il Giudizio universale*, Rom 1944; der Beitrag des ersteren wurde überarbeitet, ergänzt und 1964 in Mailand neu aufgelegt; über die Paolina schrieben: V. MARIANI, *Gli affreschi di Michelangelo nella Cappella Paolina*, Rom 1932; DE CAMPOS, *Affreschi della Cappella Paolina*, Mailand 1951. Erwähnung bedürfen ausserdem die Beiträge, die den ästhetischen und technischen Aspekt der Werke behandeln: E. MONTÉGUT [1870], C. H. WILSON [1876], H. WÖLFFLIN [1899], H. VOSS [1920], E. PANOFSKY [1921], M. DVORÁK [1927-29], A. VENTURI [1926 und 1936], und G. BRIGANTI [1945], siehe auch: *Kritische Betrachtungen im Laufe der Jahrhunderte.*

Angaben über Leben und Werk

1475, 6. MÄRZ. Michelangelo Buonarroti wird in Caprese, im Casentino, als zweiter von fünf Brüdern geboren. Sein Vater, der Florentiner Lodovico di Leonardo di Buonarroto Simoni, ist zu dieser Zeit Bürgermeister in Caprese. Seine Mutter ist Francesca di Neri aus Miniato del Sera. Nach Beendigung einer halbjährigen Amtszeit kehrt der Vater mit der Familie Ende März nach Settignano bei Florenz zurück. Der Neugeborene wird einer Amme anvertraut, Tochter und Ehefrau von Steinmetzen, was der Künstler später als ausschlaggebend für seine Entwicklung bezeichnen wird.

1481. Die Mutter Michelangelos stirbt. Der Humanist Francesco Galatea unterrichtet den Jungen in Grammatik. Später lernt er den sechs Jahre älteren Maler Francesco Granacci kennen und wird von ihm zum Zeichnen ermuntert, was, auf Grund von Vorurteilen, auf den Widerstand des Vaters stösst.

1488, 1. APRIL. Schliesslich gibt der Vater nach. Michelangelo wird für eine dreijährige Lehrzeit in die Werkstatt der Maler Domenico und Davide Ghirlandaio verpflichtet. Ein entsprechender Vertrag wird unterzeichnet. Der Künstler wird im Alter durch seinen "Sprecher" Condivi diese Lehrzeit leugnen, obwohl verschiedene Zeugen sie bestätigen (Vasari, Varchi usw.) und auch einige Werke (siehe vor allem Katalog, Nr. 4). In dieser Zeit kopiert er Bilder des Giotto und Masaccio und einen Stich von Schongauer (Katalog, Nr. 1).

1489-92. Michelangelo verlässt vor Ende der Lehrzeit die Werkstatt der Ghirlandaio. Seine Biographen Vasari und Condivi berichten von Differenzen mit den Meistern. Er soll dann den "Garten der Medici", an der Piazza S. Marco, besucht und dort die von Lorenzo il Magnifico gesammelten Kunstwerke unter Anleitung von Bertoldo di Giovanni, der sein einflussreichster Lehrmeister wird, studiert haben.

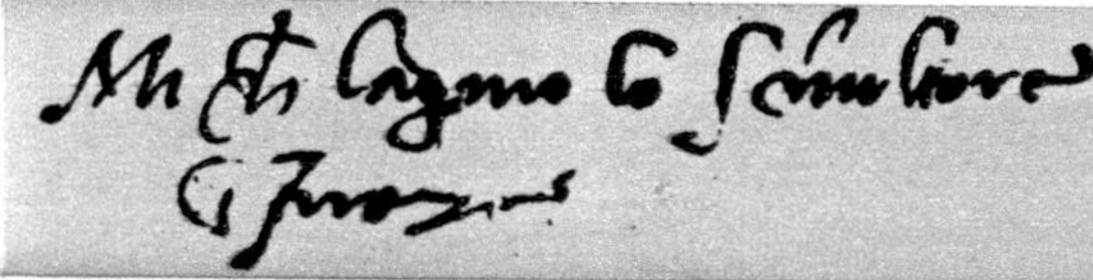

Unterschrift Michelangelos von 1523 (Florenz, Archivio Buonarroti).

Dies gilt in jedem Fall für die Bildhauerei. Diese Ansicht wird von den meistern Kritikern, auch der neuern Zeit, vertreten. Man nimmt heute an, Buonarrotis Berufung zum Bildhauer sei eher im Wirkungskreis des Benedetto da Maiano [Lisner, 1963, 1964] zu suchen. Fest steht jedenfalls, dass der junge Künstler in jener Zeit von Lorenzo il Magnifico wie ein Adoptivsohn aufgenommen wurde. Am Hofe der Medici lernte er Poliziano, Marsilio Ficino, Pico della Mirandola und andere Humanisten kennen. Dort entstanden unter anderem die *Madonna an der Troppo* (Florenz, Casa Buonarroti) und die *Kentaurenschlacht* (ebd.). Nach dem Tode Lorenzo de' Medici bestätigt sein Nachfolger Piero das Gastrecht für Buonarroti.

1494, OKTOBER - **1495**, NOVEMBER. Kurz vor dem Einmarsch Karls VIII. in Florenz flieht Michelangelo nach Venedig; von dort begibt er sich nach Bologna und betätigt sich als Bildhauer am Schrein des hl. Dominikus.

1496, JULI. Er reist zum ersten Mal nach Rom und ist Gast des Kardinals Riario.

1497, NOVEMBER. Nach Beendigung des *Trunkenen Bacchus* (Florenz, Bargello) und des *Schlafenden Amor* (verschollen) für den Bankier Iacopo Galli erhält er den Auftrag für die *Pietà* (Peterskirche) und geht deshalb nach Carrara, um den Marmor auszuwählen.

1498, AUGUST - **1499**. Er vollendet in Rom die vatikanische *Pietà*. In diese Zeit soll auch die Kartonzeichnung des *hl. Franziskus mit den Wundmalen* fallen, die für die Kirche S. Pietro in Montorio (Katalog, Nr. 7) bestellt wurde.

1501. Rückkehr nach Florenz, damals unter republikanischer Regierung. Er beginnt mit der lebensgrossen Marmorgruppe der *Madonna mit dem Kinde* (Liebfrauenkirche, Brügge). Am 5. Juni wird er beauftragt, für den Piccolomini-Altar im Dom von Siena einige Skulpturen zu schaffen, und am 16. August

Mutmassliche Selbstbildnisse aus dem Jüngsten Gericht *und in der Gestalt des Nikodemus der* Pietà *von Florenz (Dom).*

1495, NOVEMBER - **1496**, JUNI. Nach Florenz zurückgekehrt, arbeitet er an kleineren Skulpturen für Pierfrancesco de' Medici (verschollen) und sympathisiert mit der von Savonarola inspirierten Volksregierung. Michelangelo bewundert Savonarola, ohne jedoch zu seinen Parteigängern zu gehören.

wird der *David* für die Piazza della Signoria bestellt (Florenz, Accademia).

1502, 12. AUGUST. Auftrag der florentinischen Regierung für einen David in Bronze für den Kardinal Rohan, der aber bis 1508 unvollendet blieb und später von Benedetto da Rovezzano fertiggestellt wurde.

1503, 24. APRIL. Für das Innere des Doms S. Maria del Fiore werden 12 Apostelstatuen bestellt; er beginnt nur eine (*Hl. Matthäus*, Florenz, Accademia).

1504. Wahrscheinlich entsteht in diesem Jahr das *Tondo Pitti* (Florenz, Bargello), das *Tondo Taddei* (London, Royal Academy) sowie das *Tondo Doni* (Katalog, Nr. 8). Im August beauftragt man ihn, den Ratsaal mit der *Schlacht von Càscina* auszuschmücken; am 8. September wird der *David* auf der Piazza della Signoria aufgestellt.

1505, MÄRZ. Papst Julius II. ruft ihn nach Rom und beauftragt ihn mit seinem Grabmal. Schon im Mai werden Michelangelos Vorschläge genehmigt. Er begibt sich nach Carrara, um Marmorblöcke auszuwählen.

1506. Wieder in Rom, erhält er weder eine Audienz beim Papst, noch wird sein Auftrag bestätigt. Entrüstet und verbittert kehrt er im April nach Florenz zurück. Er nimmt seine Arbeit an dem Karton von *Càscina* wieder auf, während der Papst mindestens drei Briefe an den Gonfaloniere von Florenz richtet, um Michelangelos Rückkehr nach Rom zu erreichen. Schliesslich kommt es zu einem Zusammentreffen in Bologna am 21. November. Der Papst beauftragt ihn mit einer Porträtstatue für S. Petronio. Michelangelo bleibt bis zur Fertigstellung in Bologna.

1508, 21. FEBRUAR. Die Statue Julius' II. wird aufgestellte und Michelangelo kehrt sofort nach Florenz zurück. Der Gonfaloniere Soderini beauftragt ihn mit der Gruppe *Herkules und Cacus*.

1508. Am 10. Mai unterzeichnet Michelangelo in Rom die Verpflichtung, die Decke der Sixtinischen Kapelle mit Fresken auszuschmücken. Er beginnt bald darauf mit der äusserst anstrengenden Arbeit, die ihm durch die für ihn so typische Unzufriedenheit mit dem eigenen Schaffen, durch die dauernden Verzögerungen der Bezahlungen und die ständigen Bettelbriefe seiner Familie noch schwerer gemacht wird.

1509, 27. JANUAR. Er schreibt an seinen Vater: "... schon über ein Jahr erhalte ich keine Zahlung von diesem Papst, aber ich beklage mich nicht, meine Arbeit geht nicht so vorwärts, wie die aufgewandte Mühe es verdiente. Die Schwierigkeit der Arbeit ist, dass Malerei eben nicht mein Beruf ist. So vertue ich meine Zeit, ohne dass sie Früchte trägt. Gott helfe mir."

1509, FEBRUAR - MÄRZ. Wieder betont er in einem Brief an seinen Vater: "Ich bin unzufrieden mit mir selbst, auch nicht

Selbstkarikatur während der Ausführung der Sixtinischen Decke.

besonders gesund und strenge mich sehr an, ohne geregelten Haushalt und Geld."

1509, 17. OKTOBER. In einem Brief an seinen Bruder Buonarroto beklagt er sich: "Ich habe hier viel Kummer, strenge meinen Körper ausserordentlich an, habe keinerlei Freunde und will auch keine, und ich habe nicht einmal immer die nötige Zeit, meinem Bedürfnis nach zu essen; aber ich sollte nicht immer belästigt werden (durch Bitten um Geld), denn noch mehr kann ich nicht ertragen."

1510, JANUAR. Er schickt seinem Vater hundert Dukaten, um dem Bruder "Buonarroto und den anderen" einen Laden zu kaufen und schreibt dazu: "Ich habe kein Geld. Das übersandte habe ich mir aus dem Herzen geschnitten."

1511, 30. DEZEMBER. Die Gemeinde Bologna lässt die Statue Julius' II. in S. Petronio zerstören.

1512, 11. OKTOBER. Die Arbeit in der Sixtinischen Kapelle ist beendet. Neue Sorgen ergeben sich für Michelangelo und seine Verwandten durch die Rückkehr des Hauses Medici nach Florenz. Sie verlieren dadurch ihre kleinen politischen Ämter der republikanischen Regierung und die bisher erhaltenen entsprechenden Bezahlungen.

1513, MÄRZ. Nach dem Tod Julius' II. wird ein neuer Vertrag zwischen den Erben Della Rovere und Michelangelo, das Grabmal betreffend, geschlossen. Von den vorgesehenen 40 Statuen sollen nur 28 angefertigt werden; nur drei werden in Arbeit genommen: *Moses* (Rom, S. Pietro in Vincoli) und zwei *Sklaven* (Paris, Louvre).

1514, 15. JUNI. Er erhält den Auftrag für den *Auferstandenen Christus* für die Kirche S. Maria della Minerva, Rom.

1516. Am 8. Juli beschränkt eine weitere Vertragsänderung die Zahl der Statuen für das Grabmal. Der neue Papst, Leo X., ein Medici, beauftragt ihn mit der Fassade von S. Lorenzo in Florenz.

1517. Häufige Aufenthalte in Carrara, Pietrasanta und Serravezza zwecks Beschaffung der Marmorblöcke für das Grabmal und S. Lorenzo.

1518. Anfertigung der Modelle für S. Lorenzo und neue Aufenthalte in den Marmorbrüchen.

1519, 20. OKTOBER. Vorschlag an den Papst, ein Denkmal für Dante in Florenz zu schaffen. Statt dessen erhält er den Auftrag für die Neue Sakristei der Kirche S. Lorenzo, wo sechs Medici-Gräber Aufstellung finden sollen.

1520, 10. MÄRZ. Aus ungeklärten Gründen zieht Leo X. seinen Auftrag für die Fassade von S. Lorenzo zurück, was Michelangelo sehr verbittert. Im November unterbreitet er Vorschläge für die sechs Medici-Gräber in der Neuen Sakristei, die aber bald auf nur zwei Grabmäler beschränkt werden.

1521, MÄRZ. Beginn der Arbeit an den Medici-Gräbern. Im August kommt der *Auferstandene Christus* in Rom an.

1523. Unterstützt vom neuen Papst, Hadrian VI., verlangen die Erben Julius' II. die Einhaltung des Vertrags für das Grabmal. Der Senat von Genua bestellt eine Statue des Andrea Doria.

1524. Beginn der Arbeit an der Bibliothek Laurentiana in Florenz und am Grabmal für Lorenzo de' Medici mit den Figuren *Morgen* und *Abend*.

1526. Die Erben Julius' II. lehnen einen Vorschlag Michelangelos zur Vereinfachung des Grabmals ab. Er beginnt das Grab für Giuliano de' Medici in S. Lorenzo und die Statuen *Nacht* und *Tag*.

1527. Der Sturz der Herrschaft der Medici unterbricht die Arbeiten in S. Lorenzo.

1528, 22. AUGUST. Michelangelo stellt sich der republikanischen Regierung zur Verfügung und erhält den Auftrag für *Herkules und Cacus* bestätigt, den er aber in *Samson mit zwei Philistern* abwandelt.

1529. Michelangelo übernimmt Befestigungsarbeiten, die Florenz gegen die Bedrohung durch das päpstliche Heer schützen sollen. Er entwirft neue Verteidigungspläne, besonders für den Hügel von S. Miniato. Am 6. April wird ihm die Leitung des gesamten Verteidigungssystems übertragen. Er reist in dieser Eigenschaft nach Pisa, Livorno und Ferrara, um die dortigen Befestigungsanlagen zu studieren. Am 9. September kehrt er nach Florenz zurück, muss aber am 21. nach Venedig fliehen und wird am 30. September von der florentinischen Regierung in Bann erklärt. Am 15. November kann er nach Florenz zurückkehren und übernimmt wieder die Leitung der Festungsbauten.

1530. Während Florenz belagert wird, malt Michelangelo eine *Leda* für den Herzog von Ferrara (Katalog, Nr. 74) und meisselt einen *Apollo* (Florenz, Bargello) für Baccio Valori. Am 12. August endet die Belagerung mit einer Niederlage für Florenz. Michelangelo findet im Kloster S. Lorenzo Zuflucht und entgeht mit Mühe den Schergen Alessandro de' Medici. Bald darauf nimmt Papst Clemens VII. ihn wieder in Gnaden auf, und er arbeitet weiter an der Laurentiana und an der Neuen Sakristei.

1531. Im April zeichnet er den Karton *Noli me tangere* (Katalog, Nr. 75), fährt mit seinen Arbeiten an der Neuen Sakristei fort und beendet den *Morgen* und die *Nacht*, arbeitet gleichzeitig an der Bibliothek und entwirft für S. Lorenzo die Tribüne für die Reliquienschreine. Überanstrengungen führen zu einer ernsten Erkrankung.

1532, APRIL. In Rom verhandeln die Erben Julius' II. mit dem Papst über ein neues Projekt für das Grabmal mit nur sechs Statuen. Michelangelo lernt den intelligenten und schönen Tommaso de' Cavalieri kennen, ist ihm in leidenschaftlicher Freundschaft zugetan und dediziert ihm Zeichnungen und Gedichte.

1533, 22. SEPTEMBER. In S. Miniato al Tedesco begegnet er Clemens VII. auf dessen Durchreise nach Frankreich: bei dieser Gelegenheit wird dem Künstler der Auftrag für das *Jüngste Gericht* in der Sixtina zuteil.

1534, SEPTEMBER. Michelangelo unterbricht die Arbeit an den Medici-Gräbern und lässt sich in Rom nieder. Wenige Tage später stirbt Clemens VII., worauf die Vorarbeiten für die Sixtina abgebrochen werden und er an den Medici-Gräbern weiterarbeitet.

1535. Der neue Papst, Paul III., bestätigt den Auftrag für das *Jüngste Gericht* und ernennt Michelangelo am 1. September zum Maler, Bildhauer und Architekten des Vatikan-Palastes.

1536, 17. NOVEMBER. Mit einem Motuproprio entbindet Paul III. Michelangelo, solange er an dem *Jüngsten Gericht* arbeitet, von jedweder Verpflichtung den Erben Julius' II. gegenüber bezüglich des Grabmals.

1537 ca. Der Meister lernt Vittoria Colonna kennen, Witwe des Ferrante d'Avalos, Dichterin, tief religiös und sensibel, der er Verse, Bilder und Plastiken dediziert.

1538. Die Reiterstatue Marc Aurels wird von ihm auf dem Kapitol aufgestellt.

1539. Wahrscheinlicher Beginn der Arbeit an der *Brutus*-Büste (Florenz, Bargello) für Kardinal Niccolò Ridolfi.

1541, 31. OKTOBER. Das *Jüngste Gericht* wird enthüllt. Am 23. November interveniert Paul III. beim Herzog von Urbino, dem Erben Julius' II., wegen der Genehmigung, das Grabmal anderen Künstlern, wenn auch unter Michelangelos Leitung, anzuvertrauen.

1542, 20. AUGUST. Letzter Vertrag für das Grabmal, mit der Bedingung, dass Michelangelo den *Moses* fertigstelle und dass statt der Sklaven zwei Frauenfiguren — *Lea* und *Rachel* — angefertigt würden. Kurz darauf beginnt Michelangelo die Fresken in der Cappella Paolina (Katalog, Nr. 77-78).

1544. Im Januar zeichnet er das Grabmal für Francesco Bracci, Neffe des Luigi del Riccio; in diesem Hause wird er im Juni während einer schweren Krankheit gepflegt. Dann arbeitet er an den Projekten für den Umund Neubau des Kapitols. Ende des Jahres sind die architektonischen Arbeiten für das Grab Julius' II. in S. Pietro in Vincoli beendet.

1545. Wahrscheinlich im Februar Aufstellung der Statuen am Grab Julius' II. In diesem Monat entsteht das Bild *Die Kreuzigung* für Vittoria Colonna (Katalog, Nr. 79); bis Jahresende ist das Fresko für die Cappella Paolina, die *Bekehrung Sauls*, fertiggestellt.

1546. Beginn der *Kreuzigung Petri* in der Paolina. Im Oktober, nach dem Tod Antonio da Sangallo d.J., überträgt man ihm die Leitung des Baues der vatikanischen Basilika. Laut Vasari wird ihm die Ausschreibung Pauls III. für die Fertigstellung des Palazzo Farnese zugesprochen.

1547, 25. FEBRUAR. Vittoria Colonna stirbt. Der Verlust trifft ihn um so härter, als kurz zuvor sein Freund Luigi del Riccio starb.

1548, 27. AUGUST. Michelangelo wird der Gemeindeverwaltung Roms für die Wiederherstellung der Brücke S. Maria vorgeschlagen.

1549. Benedetto Varchi publiziert seine *Zwei Lektionen*, Vorträge, die er in Florenz über ein Sonett Michelangelo Buonarrotis hielt.

1550. Wahrscheinliche Beendigung der Fresken in der Paolina. Giorgio Vasari veröffentlicht die erste Ausgabe seines berühmten Werkes, *Vite*, ein literarisches Denkmal zum Ruhme Michelangelos.

1552. Die Arbeiten an der Treppe zum Kapitol sind beendet. Er entwirft die Treppe für den Belvedere-Hof im Vatikan.

1553. Arbeit an der *Pietà*, jetzt im Dom zu Florenz. Sein Schüler Ascanio Condivi gibt die *Vita di Michelagnolo Buonarroti* heraus.

1555. Durch die Wahl Marcellus II. zum Papst verliert Michelangelo die Bauleitung der vatikanischen Basilika; aber bald schon besteigt Paul IV. den päpstlichen Thron, der Künstler wird wieder in seiner Stellung bestätigt und erhält den Auftrag für die Kuppel der Basilika. Beginn der Arbeit an der *Pietà di Palestrina* (Florenz, Accademia).

1556, SEPTEMBER. Beim Herannahen der spanischen Truppen verlässt Michelangelo Rom, begibt sich nach Loreto und Spoleto, wo er die päpstliche Aufforderung zur Rückkehr erhält.

1557. Konstruktion eines Modells für die Kuppel des Petersdoms.

1559. Zeichnungen für die Kirche S. Giovanni de' Fiorentini und für die Sforzakapelle in S. Maria Maggiore. Das Modell für die Bibliothek Laurentiana wird nach Florenz gesandt. Vielleicht ist die *Pietà Rondanini* (Mailand, Castello) schon in Arbeit.

Michelangelo, hl. Matthäus *(1503 bis 1505: mutmassliches Selbstbildnis), Florenz, Accademia.*

I. del Conte (zugeschr.) und G. Bugiardini, Bildnisse Michelangelos, *Florenz, Casa Buonarroti; L. Lotto*, Bildnis eines Mannes *(Michelangelo?), Nancy, Musée des Beaux-Arts; Giambologna*, Michelangelo *(Bronzebüste), Florenz, Accademia.*

1560. Für Caterina de' Medici entwirft er ein Denkmal Heinrichs II. von Frankreich. Projekt für das Grabmal Giangiacomos de' Medici im Dom zu Mailand, ausgeführt von Leone Leoni, sowie für die Porta Pia in Rom.

1561. Michelangelo projektiert die Kirche S. Maria degli Angeli in Rom.

1563, 31. JANUAR. In Florenz wird die erste Kunstakademie der Welt, Accademia del Disegno, gegründet und Michelangelo zusammen mit Herzog Cosimo de' Medici zu deren Leiter ernannt.

1564, 21. JANUAR. Die Kongregation des Konzils von Trient beschliesst, die als "obszön" bezeichneten Teile des *Jüngsten Gerichts* "zuzudecken"; die "moralische" Verbesserung beginnt sofort.

1564, 18. FEBRUAR. Michelangelo stirbt, fast neunzigjährig, in seinem römischen Heim in Macel de' Corvi, umgeben von wenigen Freunden, unter ihnen Cavalieri, der ihm während der kurzen Krankheit beistand.

1564, 11. MÄRZ. Um dem Wunsch Michelangelos, in Florenz begraben zu werden, nachzukommen, lässt sein Neffe Leonardo heimlich die Leiche überführen. Die sterblichen Reste des Meisters werden am 12. März in S. Croce beigesetzt.

1564, 14. JULI. In der Kirche S. Lorenzo findet der feierliche Trauergottesdienst statt. Varchi hält die Trauerrede.

Katalog der Werke

Chronologisches und ikonographisches Verzeichnis aller Gemälde
Michelangelo Buonarrotis,
sowie der ihm zugeschriebenen Werke

1 47×35 *1487*

Versuchung des hl. Antonius.

Condivi, Vasari und Varchi deuten übereinstimmend an, dass das Werk des noch sehr jungen Michelangelo auf Anraten von Granacci als Kopie eines Stichs von Martin Schongauer entstand. Der erste Biograph berichtet, dass es sehr fleissig "auf einer Holztafel" gemalt wurde; Varchi bezeichnet es als die "erste Sache" von Buonarroti. G. Bianconi [in Gualandi, 1840] führt ein Bild mit demselben Sujet an, was zunächst einige Zustimmung findet, dann aber als späteres Werk zurückgewiesen wird [Milanesi, 1881, VII].

Ein anderes Werk — hier abgebildet, (1837) von der Sammlung Scorzi in Pisa an Baron Triqueti verkauft, dann (1886) an Lee-Child, endlich (um 1905) an Sir Paul Harwey, der es (1960) der Kunstauktion Sotheby in London übergab — wurde durch Clément [1861] bekannt; seine Ansicht, es handle sich um ein Original, wurde auch von anderen geteilt [Montaiglon, 1875, usw.], aber von Mantz [1876] angezweifelt; gelegentlich seines letzten Auftauchens gab es Anlass zu Diskussionen, jedoch, abgesehen vom unzweifelhaft erkennbaren Einfluss Ghirlandaios (besonders der Kopf des Heiligen, vergleichbar mit dem Kopf des hl. Joseph im Tondo Doni) und der köstlichen Frische der Farben, müsste man es mindestens als eine gute Kopie des michelangelesken Originals ansprechen.

2 100×71 *1490*

Die Heilige Familie mit dem Johannesknaben. Dublin, National Gallery of Ireland.

Das dem Ghirlandaio zugeschriebene Werk kam aus der Sammlung De Choiseul 1866 an seinen heutigen Platz. Die neueren Kataloge der National Gallery bezeichnen es als Werk Buonarrotis. Die Zuschreibung zu den Frühwerken Michelangelos, noch unter dem Einfluss des Granacci, wurde von Fiocco [1930, usw.] gefördert, von Gamba [1932] und anderen bestätigt; abgelehnt jedoch, zugunsten Granaccis, von Toesca [1934], Longhi [1941], Bertini [1942], Tolnay [1943-1960, I], Zeri [1953] und verschiedenen anderen bis Salvini [1965].

3 1488-1490

Dormitio Virginis. (Ausschnitt) Florenz, S. Maria Novella.

Das Werk gehört zur Serie der Wandmalereien, die Ghirlandaio, mit starker Beteiligung seiner Schüler für Giovanni Tornabuoni von 1485-1490 ausführte. Da der Lehrvertrag Michelangelos vorsah, dass er bei Meister Domenico nicht nur lernen, sondern auch malen müsse, und da das Datum des Vertrags mit der Ausführung der Malereien übereinstimmt, hat schon Fineschi [1836] geglaubt, die Hand Michelangelos in den kleinen Figuren auf der Terrasse in der *Begegnung Mariä mit Elisabeth* zu erkennen, während Holroyd (1903) sie im sitzenden Akt des Freskos *Die Jungfrau im Tempel* sehen will. Die beiden Hypothesen fanden kein Echo in der Fachwelt. Marchini lenkte kürzlich [1953] die Aufmerksamkeit auf die drei rechts stehenden Figuren des nebenstehenden Bildes und fand Zustimmung, besonders hinsichtlich der Figur mit dem Rücken zum Beschauer, die von einer grossartig-einfachen Linienführung ist [Salvini, 1965]. (Siehe auch Nr. 4).

4 1488-1490

Taufe Christi. (Ausschnitt) Florenz, S. Maria Novella.

Wie bei Nr. 3 (s.d.) bringt Marchini diese Figuren mit dem Schaffen des jungen Michelangelo in Verbindung und erntet weitreichende Zustimmung (aber Longhi bezweifelt [1958] beide Zuschreibungen), besonders wegen der schlichten, verinnerlichten Sammlung des knienden Täuflings [Salvini, 1965].

Die ersten Biographen, besonders Vasari, versuchten einen Mythos um Buonarroti zu weben — vielleicht fussten sie auf Aussagen des Künstlers — und verlegten den Beginn seines Schaffens in eine Sphäre höchster, fast abstrakter Berufung: Michelangelo, ein Schüler der Antike; Studium der Werke im "Garten der Medici"; nur unter zeitweiliger und unsicherer Anleitung des altersschwachen Bertoldo di Giovanni. Also ist er fast ein unmittelbarer Schüler der Antike: was braucht es noch mehr, um mit dem Begriff des "Göttlichen" der Renaissance übereinzustimmen? Auch ohne die begründete Zurückhaltung du Chastels [1950] über die Bedeutung des Gartens als Akademie *ante litteram* (wenngleich mit Unsicherheiten und Widersprüchen von Vasari verfochten, da er ja leidenschaftlicher und interessierter Anhänger einer Akademiegründung war, die dann erst 1563 in Florenz erfolgte) und auch bei Unkenntnis der Lehrzeit in Ghirlandaios Werkstatt, hätte die Kritik doch früher oder später einen Meister aus Fleisch und Blut für den jungen Buonarroti finden müssen. Sonst wurde man weiterhin eine Hypothese verfolgen, die im Gegensatz zu den Normen und Prinzipien für den Werdegang der Künstler des Quattrocento steht. Die Farbgebung der *Madonna von Manchester* (siehe Nr. 10), so erfüllt von ghirlandesker Blutsverwandtschaft, bestätigt von selbst und mit Sicherheit den ehemaligen Lehrmeister.

5 1490-1492*

Johannes Evangelist. Basel, Privatsammlung.

Von Goldscheider [1952] als Werk des Meisters von Manchester (siehe Nr. 10) bezeichnet, nachdem es schon Longhi,

Beweinung Christi *(moderne Kopie) in der Kirche S. Cristoforo von Canonica (Florenz).*

Fiocco, Nicodemi und Magugliani Buonarroti zugeschrieben hatten. Longhi hebt [1958] den Zusammenhang mit Michelangelo während "dessen Lehrzeit mit Granacci bei Ghirlandaio" hervor. Longhi hält das Bild für ein Fragment einer Beweinung, ehemals in der Kirche S. Cristoforo von Canonica (Florenz). Heute noch hängt dort die hier abgebildete, moderne Kopie.

6 Durchm. 66 1495*

Madonna mit Kind und Johannesknaben (Madonna in der Laube). Wien, Akademie der bildenden Künste.

Schon Michelangelo zugeschrieben, als es sich noch in

1

2

3

4

5

der Sammlung Meniconi, Perugia, befand. Neuerdings datiert man es auf Vorschlag von A. Venturi in die Bologneserzeit (1494-1495) — als er dort die Ferraresen studierte: Cossa, de' Roberti und Costa —. Diese Datierung von Fiocco [1937] bestätigt, abgelehnt jedoch von Longhi [1942], Bertini [1942], Tolnay [1943-1960, I] und anderen, so auch von Zeri [1953], der es dem Meister von Manchester zuschreibt.

6

7 *1500*

Der hl. Franziskus mit den Wundmalen.

Der Anonymus Magliabechi [1937-1542] berichtet von "einem nicht sehr grossen Altarbild" in S. Pietro in Montorio in Rom, das" in Tempera ausgeführt, von Michelangelo gezeichnet und vielleicht auch gemalt" sei. Vasari unterstützt zunächst [1550] die Zuschreibung an Buonarroti, auch bezüglich der malerischen Ausführung; später [1568] beschränkt er dessen Anteil auf die Kartonzeichnung, während der Rest "ein Barbier" des Kardinals Riario (Gastgeber des Michelangelo besorgt hätte. Titi [1763] identifiziert das Bild mit dem des Giovanni de' Vecchi, das in derselben Kirche hängt: aus chronologischen Gründen ist das unmöglich [Baglione, 1642; Bottari, 1759-1760, III]; so kommt man zum Schluss [Marchese-Pini-Milanesi, 1856], das Bild des de' Vecchi habe entweder mit Michelangelo nichts zu tun, oder es weise nur eine entfernte Ähnlichkeit auf [Tolnay, 1943-1960, I], während die Hypothese auszuschliessen sei [Thode, 1908-1913], dass es sich um die Übermalung eines Originals Michelangelos handle.

8 Durchm. 120 *1504-1506*

Die heilige Familie mit Johannesknaben (Tondo Doni). Florenz, Uffizi.

Die Interpretation des Themas war bis zum 17. Jahrhundert die des Andachtsbildes, dann des naturalistisch-familiären (Joseph reicht Maria, die ihre Lektüre beendet hat, das Kind), die heute noch von einigen Fachgelehrten bejaht wird [Tolnay, 1943-60, I; Mariani, 1947; usw.]. Andere unterlegen allegorische Absichten: die Muttergottes als Symbol der Kirche und die Akte im Hintergrund als prophetische Figuren [Corsi, 1815]; die Akte als "Faune in einer dionysischen Orgie" und Symbole des Heidentums, den Figuren im Vordergrund gegenübergestellt, die das Christentum darstellen [Pater, 1871; Tolnay; usw.]; die verschiedenen Altersstufen der Menschen und die Akte als heidnische Epheben, ebenfalls als Kontrast zu den Hauptfiguren [Thode, 1902-1903; Justi, 1907; usw.]; eine Anspielung an den Familiennamen des ersten Besitzers, da Maria Joseph bittet, er möge ihr das Kind "geben" [Brockhaus, 1909]; die Akte als Erinnerung an den Ursprung des Lebens [Toesca, 1934] oder Hinweise auf die Taufe [Mariani, usw.] oder Identifizierung mit Engeln; letzte Auslegung: die Akte als Symbol des Menschentums *ante Legem*, Maria und Joseph als Symbol des Menschentums *sub Lege* und Jesus als Symbol des Menschentums *sub Gratia*.

Schon der Anonymus Magliabechi spricht [1537-1542] von dem Bild im Hause Doni, wie auch A. F. Doni selbst [1549]; ein 1653 angelegtes Inventar der Uffizien enthält bereits das Werk. Vasari [1550] erklärte, es sei vor dem *Bacchus* im Bargello entstanden, dann [1568] datiert er es später; Grimm [1863] meint, es sei 1503 entstanden; Poggi glaubt [1907], als er das Wappen der Strozzi auf dem Originalrahmen entdeckte, das Bild sei ein Geschenk zur Hochzeit Maddalena Strozzis mit Angelo Doni gewesen, die Ende 1503 bis Anfang 1504 stattfand, und er datierte das Werk in diese Zeit; aber trotz der Hochzeits-These tauchen erheblich spätere Datierungen auf: aus der Zeit des Kartons von *Càscina* oder wenig danach [Tolnay, 1943-1960, I.]; 1506 [Wilde, 1953]; gleichzeitig mit der Sixtinischen Kapelle [Baumgart, 1934-1935; Bottari, 1941]. Häufig wird die Ähnlichkeit mit dem Tondo des Signorelli, ebenfalls in den Uffizien (ca. 1490), hervorgehoben. Man glaubte sogar leonardesken Einfluss zu sehen [Einem, 1959] und in der Madonna eine Schönheit, die an die Sibyllen der Sixtina anklingt [Tolnay].

Positiv bewertet wird die Tatsache, dass Michelangelo in seinen Skulpturen vorwiegend malerische Elemente einschmilzt. Andererseits verwendet er bildhauerische Elemente für seine Malerei. Abgesehen von der plumpen Oberflächlichkeit eines solchen Urteils, das nur die äusseren Aspekte wertet und auf einen Grossteil der toskanischen Künstler Anwendung finden könnte (vor allem Botticelli), ist es klar, dass solcherart einige bewiesene Faktoren im Schaffen Buonarrotis nicht berücksichtigt werden: sein tiefes Wissen um die Möglichkeiten und Hilfsquellen, die mit der Ausdrucksform der Malerei verbunden sind und die bereits schon in der geistigen Geburtsphase seiner Gemälde offensichtlich werden. Ragghianti versucht in seiner Verfilmung des Lebens Michelangelos eine These über die Entstehung des *Tondo Doni* zu geben (1964). Der Aufbau des Werkes zeigt, dass die Exedra im Hintergrund, auf der die Akte sitzen, auf einer perspektivisch verschiedenen Ebene liegt und einen tiefer liegenden Fluchtpunkt aufweist gegenüber der die Hauptfiguren tragenden Fläche. Die niedere Mauer im Rücken Josephs hat die Aufgabe, diesen Unterschied zu verwischen. Es ist möglich, dass dieser Kunstgriff vom Aufstellungsort des Bildes suggeriert wurde, denn es ist bekannt, dass in florentinischen Häusern der Aufstellung von Kunstwerken grosse kritische Bedeutung beigemessen wurde. Abgesehen von kleineren Hinweisen, werden die beiden Fluchtpunkte auf

8 [Tafeln I-V]

die tiefer liegende Ebene bezogen, durch den zurückgeworfenen Schatten der Exedra angedeutet, und darüberhinaus, in bezug auf die Hauptfiguren, von der Richtung des kleinen Kreuzes über der Schulter des Johannes. Dieser Richtungshinweis bestätigt die Verbindung zwischen der Dreiergruppe im Vordergrund, die gewöhnlich nur allein gesehen wird, als ob es die Skulpturengruppe eines Marmor-Tondo sei, und anderen Teilen der Komposition. Es ist nicht die einzige Verbindung, wenn man die weiteren figürlichen Übereinstimmungen beachtet: die sichtbare Schulter Josephs und die Schulter des hinter ihm befindlichen Aktes; Marias erhobener Arm und der gleichfalls erhobene Arm des links stehenden Aktes usw. Gerade auf Grund der umwälzenden Gliederung des perspektivischen Raums — mehr noch als auf Grund der Schraubenbewegung der Marienfigur — ist der *Tondo Doni* eigentlich als Ausgangspunkt des Manierismus zu bezeichnen. Denn: "die hell-leuchtende und klingende Farbe begleitet und unterstreicht die plastische Gliederung der Masse und skandiert die Zeit als feierliches Largo"; auch deshalb: "ungeachtet der vorwiegend plastischen Werte, kann der Tondo nicht nur als eine ins Malerische umgeschmolzene Skulptur gewertet werden", was übrigens "der Schöpfung eines Bildes im kosmischen Raum" widerspricht, hier herrlich verwirklicht, wohingegen nicht vorhanden in den gleichzeitig ausgeführten Tondi in Marmor.

9 1505-1506

Die Schlacht von Càscina.

Aus der *Chronik* Villanis entnehmen wir das Thema: am 29. Juli 1364 schlägt der florentinische Kondottiere Galeotto Malatesta sechs Meilen vor Pisa, das er überfallen soll, im Vorort Càscina sein Lager auf. Die unerträgliche Hitze veranlasst die Söldner, sich ihrer Waffen zu entledigen, um im Arno zu baden. Malatesta ruht in seinem Zelt aus. Der wachsame Mario Donati bemerkt rechtzeitig das Anrücken der Pisaner, schlägt Alarm, und so gelingt es den Florentinern, die Schlacht für sich zu entscheiden. Der schriftliche Auftrag an Michelangelo ist verschollen, aber in den erhaltenen Gemeinde-

Aristotile da Sangallo (zugeschrieben), Kopie des Kartons der Schlacht von Càscina *(1542?), Holkam Hall (Norfolk), Sammlung Leicester.*

abrechnungen der zweiten Hälfte des Jahres 1504 befindet sich der Hinweis, dass der Gonfaloniere Soderini den Meister beauftragte, diese "Geschichte" im Ratsaal des Palazzo Vecchio in Florenz als Fresko zu malen. Für eine weitere Wand desselben Saals war bereits Leonardo mit der *Schlacht von Anghiari* verpflichtet. Einem Brief Michelangelos aus dem Jahre 1524 ist zu entnehmen, dass er den Karton im März 1505 gezeichnet habe. Vasari und Condivi datieren die Arbeit einige Monate später. Es ist ausgeschlossen, dass der Karton schon im November 1506 ausgeführt war [Thode, 1908-1913; Wilde, 1953; Einem, 1959; Tolnay, 1963]. Es ist bekannt, dass der Karton in einem Zimmer die östliche war, die aus zwei aufgeteilten Flächen von ca. 7 ×17,5 m bestand. Die Fläche rechts war für das Fresko von Leonardo bestimmt, die linke für Michelangelo. An Hand der Leicester-Kopie versuchte man mehrmals, die Komposition wiederherzustellen. Köhler [1907] vermutet als Mittelfigur den hosenanziehenden Söldner, links davon eine Gruppe Reiter, wie es Skizzen in London und Oxford vermuten lassen (hier teilweise abgebildet, mit anderen Skizzen für den Karton). Auch Thode [1908-1913] hält an der Mittelfigur und den Reitern fest, die beiden leeren Seiten glaubt er mit laufenden oder das Pferd besteigenden Söldnern ausgefüllt. Tolnay beschränkt die Ausfüllung auf eine Reitergruppe

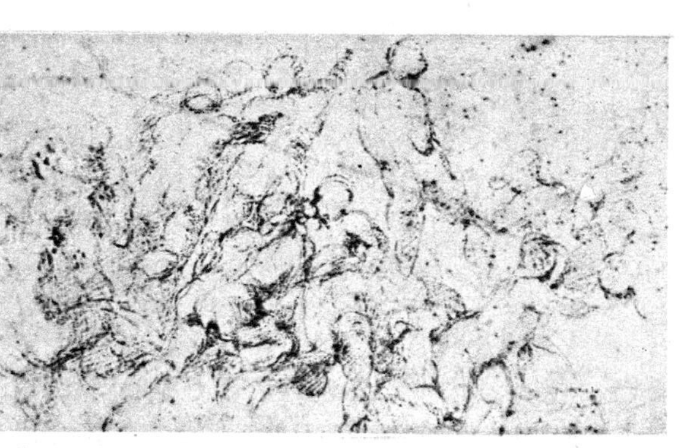

Studie zu der Schlacht von Càscina*: Akte (Silberstiftzeichnung 235×356 mm; Florenz, Uffizi); Zuschreibung angezweifelt.*

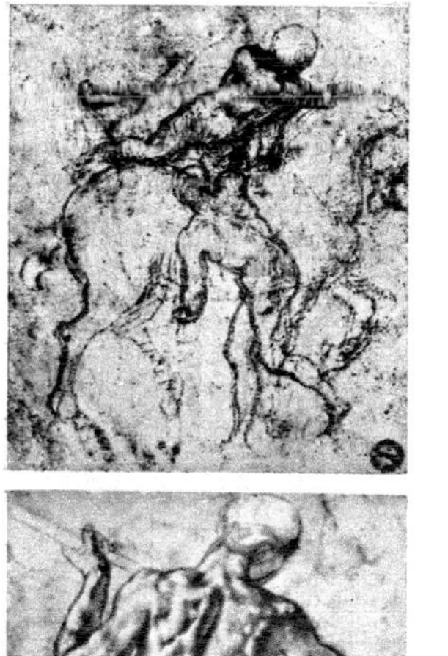

Oben: Fussoldat und Reiter *(Feder und Kohle, 270×185 mm; Oxford, Ashmolean Museum).*
Unten: Rückenakt *(Kohle, weiss gehöht, 272×199 mm; Wien, Albertina): Zuschr. angezweifelt.*

Rückenakt *(Feder und Stift, 408 ×284 mm; Florenz, Casa Buonarroti). Michelangelo zugeschrieben, doch der Zusammenhang mit der* Schlacht von Càscina *angezweifelt.*

des Hospitals der Färber in S. Onofrio gezeichnet und von dort 1508 nach dem Palazzo Vecchio gebracht wurde; dann (1512?) nach S. Maria Novella und endlich (1515) in den Palazzo Medici. Schon 1550 war der Karton aufgeteilt, an verschiedene Interessenten verkauft, und diese Fragmente sind dann verschollen. Es gibt Teil-Kopien, deren bekannteste und wichtigste aus der Sammlung des Grafen Leicester, Holkam Hall (Norfolk), hier abgebildet ist. Die Kopie wird Aristotile da Sangallo zugeschrieben und erstmals von Passavant [1833] erwähnt. Wilde glaubt, dass die einzige freie Wand im Ratsaal "fern im Hintergrund" und auch dies nur unbestimmt. Auch Wilde glaubt, dass die Leicestergruppe weitere Figuren im Hintergrund hatte, doch verlegt er die Reiter nach rechts. Grohn [1963] bestätigt die riesigen, für das Fresko vorgesehenen Wandausmasse (5 oder 6×18 m), hält aber grössere Ergänzungen nötig, sich streng an die von dem Karton bekannten Skizzen haltend (Florenz, Uffizien und Casa Buonarroti; Paris und Wien). Was das Fresko betrifft, so berichten Zeitgenossen, Michelangelo hätte mit der Ausführung begonnen. Es scheint jedoch, dass die Ausführung sofort unterbrochen wurde.

10

102×76 *1510*

Madonna mit Kind, Johannesknaben und vier Engeln (Madonna von Manchester). London, National Gallery.

Das Werk stammt aus der Sammlung Borghese, Rom, wo es zunächst als Ghirlandaio bezeichnet wurde und erhielt den heutigen Beinamen erst durch die 1857 erfolgte Ausstellung in Manchester, bei der es zum ersten Mal Michelangelo zugesprochen wurde. Diese Zuschreibung wurde zugunsten eines Nachfolgers Michelangelos bestritten von F. Reiset [1877], Wölfflin [1891], während Robinson [1881] es für einen Bandinelli hält; Berenson [1903] als Bugiardini; Popp [1925] als Mini; A. Venturi [1932] als Jacopino del Conte; Antal [1932] als B. Franco. Zeri [1953] bezeichnet es mit weitgehender Zustimmung als Werk des Meisters von Manchester, "eines mittelmässigen Malers, der aber in so enger Verbindung mit Michelangelo stand, dass er dessen Zeichnungen und Skizzen verwenden konnte", und im vorliegenden Fall, um 1510 in Rom, nach den Skizzen des Meisters und mit dessen tätiger Hilfe malte. Toesca [1934] sieht das Werk als echten Buonarroti von 1500 oder eher früher an und fand neuerlich Anhänger [Bottari, 1941; Bertini, 1942; Arslan, 1943-1944; Carli, 1964; usw.].

11

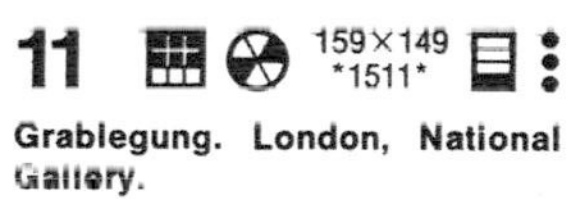

159×149 *1511*

Grablegung. London, National Gallery.

Man kann nicht umhin festzustellen, dass die Gliederung des Bildes an eine Schöpfung Mantegnas erinnert. Das Gemälde wurde schon während der Ausführung weitgehend mit Öl übermalt. Farnese war vermutlich der erste Besitzer, dann andere römische Sammler; seit 1868 ist es in London. Die Zuschreibung an Michelangelo wurde 1846 von Cornelius und Overbeck vorgeschlagen, von einigen angenommen, von anderen wegen der widersprechenden Chronologie abgelehnt: zwischen dem *Tondo Doni* und der Sixtinischen Decke oder gleichzeitig mit letzterer [Berenson, 1896, usw.; A. Venturi, 1925, IX I; bis Carli, 1942, usw.; Mariani, 1942; Grassi, 1955; usw.]; oder vor dem *Tondo* [Bertini, 1942], während 1496-1501 [Gamba, 1945]. Allgemein schreibt man es heute einem Nachfolger zu, einem gewissen Carlo [Reiset, 1877], oder B. Franco [Antal, 1932], oder dem Meister von Manchester [Zeri, 1953], mit der Bemerkung jedoch, dass Michelangelos Mitarbeit erheblicher sein müsste, als bei der Madonna in London (Nr. 10), die der Gruppe den Namen gab [Salvini, 1965].

12

64×54 *1510*

Madonna mit Kind. Baden (Schweiz), Privatsammlung.

Fiocco [1937, usw.] schreibt das Werk Michelangelo, aus seiner Lehrzeit bei Ghirlandaio, zu. Diese Zuschreibung wurde abgewiesen von: Longhi [1942], Bertini [1942], Mariani [1942], Tolnay [1943-1960, I] und anderen, auch Zeri [1953], der es dem Meister von Manchester zuschreibt.

10

11

12

13

64×54 *1510*

Madonna mit Kind und Johannesknaben. New York, Privatsammlung.

Erst in London, dann in der Sammlung Contini, Florenz. Von Fiocco [1950] Michelangelo zugeschrieben; nachher schrieb Zeri [1953] es dem Meister von Manchester, im Zeitabschnitt der Sixtinischen Decke, zu.

13

Decke der Sixtinischen Kapelle

Papst Sixtus IV. liess um das Jahr 1475 die seinen Namen tragende Kapelle in ihrer heutigen Form errichten. Sie befindet sich innerhalb des vatikanischen Palastes und ist der *Maria Assunta* geweiht. Auf der Wand, die heute das *Jüngste Gericht* enthält, befand sich ein Fresko des Perugino, *Mariä Himmelfahrt* darstellend. Bei der ersten malerischen Ausschmükkung der Kapelle, einschliesslich Decke, waren Botticelli, Ghirlandaio, Rosselli, Signorelli u.a. beteiligt. Die Decke war von Piermatteo d'Amelia mit einem Sternenhimmel bemalt worden. Dieser wurde entfernt, als Buonarroti die Decke gestaltete. Die heutige Bemalung überzieht eine Fläche von über 1000 m² (13×36 m) und zählt ca. dreihundert Figuren. Sie besteht im wesentlichen aus drei übereinanderliegenden Abschnitten: unten die Lünetten (die eigentlich noch zum oberen Teil der Wand gehören), darüber, als Zwischenstück, die Stichkappen mit den dazwischenliegenden Nischen, in denen Propheten und Sibyllen thronen. Die Mittelzone, in dem sich die Hauptszenen der biblischen Geschichte befinden, wird abgegrenzt von den Sockeln, auf denen die nackten Jünglinge sitzen. Zwischen den Lünetten befinden sich die plakettentragenden Putten und in den Zwickeln über den Stichkappen und den Eckfeldern die bronzefarbigen Akte. Auf Plinthen stehen die Karyatiden-Putten und zwischen den paarweise angeordneten nackten Jünglingen sind jeweils Medaillons mit biblischen Darstellungen eingefügt.

Michelangelo notierte sich, am 10. Mai 1508 fünfhundert Dukaten "Anzahlung" für diesen Auftrag, "für den ich heute zu arbeiten anfange", erhalten zu haben. Natürlich bezieht sich das auf die vorbereitenden Skizzen, da die in Florenz angeforderten und für dieses gewaltige Vorhaben benötigten Gehilfen erst im Herbst eintreffen konnten. Es handelte sich bei diesen um den alten Freund Granacci, um Giuliano Bugiardini, Aristotile da Sangallo und andere, die aufzuzählen sich nicht lohnt, da sie der Kunstkritik völlig unbekannt geblieben sind. Vasari und Condivi sind sich in ihren historischen Aufzeichnungen einig, dass eine Mitarbeit der Gehilfen bei der Ausführung des Werkes auszuschliessen sei. Der Meister, mit den ersten Proben schon unzufrieden, hätte sie sofort entlassen und allein weitergearbeitet. Einige Fachgelehrte, dieser Hypothese nicht abgeneigt, meinen aber trotzdem die Hand von Schülern zu sehen, wenn auch keinesfalls bei Hauptfiguren. Biagetti [1937] findet Gemäldeteile, die, durch Stilproben [Camesasca, 1965] bestätigt, demonstrieren, dass die Gehilfen doch bis Ende Januar 1511 der Arbeit Buonarrotis beistanden. Danach aber arbeitete der Meister tatsächlich allein, wenn auch immer unter Assistenz einiger mehr als mittelmässiger Gehilfen, die deshalb vielleicht trotzdem nicht nur Handlangerdienste leisteten. Der ursprüngliche Wunsch des auftraggebenden Papstes, Julius' II. della Rovere, beschränkte sich nur auf 12 Apostelgestalten, der Mittelteil der Decke sollte mit geometrischen Ornamenten dekoriert werden. Sehr bald erreichte Michelangelo, dass er doch nach eigenem Ermessen schaffen durfte: das Ergebnis ist die Komposition in der heutigen Form. In der ersten Phase der Ausführung hatte der Meister mit Schwierigkeiten zu kämpfen, sei es die Unzufriedenheit mit dem eigenen Schaffen und mit dem der Gehilfen, seien es technische Widrigkeiten, wie z.B. auftretender Schimmel — von dem schon Vasari berichtet und dessen Vorhandensein kürzliche Untersuchungen bestätigen. Mit der farbigen Ausführung wurde Ende 1508 [Holroyd, 1903; usw.] begonnen, jedenfalls nicht später als Anfang 1509 [Symonds, 1892; Tolnay, 1943-1960, II.; Einem, 1959; usw.]. Briefe

Michelangelos aus dem Jahre 1509 und 1510 berichten von der baldigen Teilenthüllung des Zyklus vom Eingang bis zur Mitte der Decke [Condivi], oder etwas weniger. Dem *Tagebuch* des Zeremonienmeisters De Grassis entnimmt man, dass am 14. oder 15. August 1511 Julius II. die Sixtina besuchte, "um die neuen, vor kurzem enthüllten Fresken zu betrachten". Dann weiss man, dass Michelangelo im Januar 1511 die Kartone für bestimmte Lünetten zeichnete. Ebenfalls von De Grassis erfahren wir, dass am 31. Oktober 1512 die Malerarbeiten abgeschlossen waren, da die Kapelle wieder eröffnet wurde. Diese konkreten Nachrichten, abgesehen von den veralteten und überholten Ansichten, lassen verschiedene Schlüsse hinsichtlich der Arbeitsphasen zu: sie gehen jedoch alle von der Annahme aus, dass die Arbeit ihren Anfang vom Eingang her nahm und zum Altar fortschritt. Sie wurde in Querabschnitte eingeteilt, die eine oder mehrere Hauptszenen, die entsprechenden Akte, Prophten und Sibyllen und die Stichkappen einbezogen. Betreffs der Lünetten wird fast einstimmig angenommen, dass sie erst nach Beendigung der übrigen Arbeit gemalt wurden. Weites Echo fand Tolnays These von vier Arbeitsphasen: die erste, bis 15. September 1509 ausgeführt, bezieht die drei Noah-Szenen, acht Akte und fünf Seher, zwei Stichkappen und zwei Eckfelder ein. Die zweite Phase, die zwei weitere Hauptszenen, vier Akte, zwei Seher und die vier folgenden Stichkappen umfasst, ist im August 1510 beendet worden. Die dritte Phase wurde zwischen Januar und August 1511 gemalt und besteht aus den vier restlichen Hauptszenen, den entsprechenden Akten, fünf Sehern, vier Stichkappen und zwei Eckfeldern. Vom Oktober 1511 bis Oktober 1512 dauerte die vierte Phase, in der die Lünetten ausgeführt wurden. Ragghianti [1965] schlägt erhebliche Varianten für diese These vor: er verlegt das Eckfeld mit David und die beiden anschliessenden Stichkappen in die vierte Phase.

Die neue Kritik bemüht sich sehr um Deutung der noch ungelösten Probleme der Decke. Vasari hält "die Erfindung" als Michelangelos ureigenste Idee, spätere Kritiker halten — abgesehen von der eindeutigen Bibelquelle — Platon [Hettner, 1879; bis Tolnay] oder theologi-

Schematische Aufteilung der Decke. Die Nummern beziehen sich auf den vorliegenden Katalog.

14

15 [Tafeln VI-VII]

16

17 [Tafeln VIII-IX]

sche Texte (als richtungsweisendes Programm Michelangelo aufgezwungen) als zugrundeliegend. Andere Autoren erwähnen einen unbekannten Meister [Einem, 1959], den Savonarola-Jünger Sante Pagnini [Wind, 1944], den Franziskaner Marco Vigerio — im besonderen dessen 1507 herausgegebenes *Decachordum* — [Hartt, 1950] als mögliche Inspiratoren. Viele sehen nur die Bibel als Vorbild, einige meinen, die Texte seien im metaphorischen Sinn als Zusammenhang mit dem Schicksal der Menschheit benutzt worden [Montégut, 1870; Steinmann, 1905; Thode, 1908-1913; usw. bis Bertini, 1942], andere [Henke, 1871 und 1886; usw.] sehen im Zyklus die wesentlichen geistigen Phasen der Menschheit: den Zustand vor der Offenbarung (Lünetten, Stichkappen und Eckfelder), den des Wissens (Seher und Akte), und den der direkten Beziehung mit dem Himmel (biblische Geschichten). Dies wurde von Tolnay ausgearbeitet, der den Schluss zieht, in der Decke sei "ein zweifacher Aufstieg, von unten nach oben durch drei symbolische Zonen, die die drei Existenzphasen bedeutend, und in der Aufeinanderfolge der Geschichte von Noah bis zu der Schöpfung". Man will auch eine theologische Absicht in der Aufteilung der Decke in bezug auf die ehemalige Aufteilung des Bodens (vor der Verschiebung der Abschrankung in der zweiten Hälfte des Cinquecento) sehen, insofern als das Fresko, Gottvater darstellend, sich über dem Presbyterium befindet, während sich die Bibelgeschichte "der Prüfungen der Menschheit" über dem Raum für die Gläubigen ausdehnt. Schliesslich sieht man in dem Zyklus sogar eine weitläufige Darstellung der Genealogie Jesu — mit dem Emblem des Wappens des Della Rovere (auftraggebender Papst) identifiziert — oder: die Dekoration stelle die Menschheit dar, *ante Legem* (die Decke), *sub Lege* (die Fresken mit den Episoden des Moses) und *sub Gratia* (die Fresken mit den Christusepisoden), womit ein äusserst kompliziertes Spiel der Wechselbeziehungen [Hartt; Wind; usw.] festgelegt wird, das stets berechtigtes Staunen auslöst.

Schon 1543 wurde ein "Putzer" angestellt, der "die Decke und die Wände" der Sixtina zu pflegen hatte. Im Jahre 1565 senkten sich Bauteile, und Carnevale übernahm die erste Ausbesserung, der 1625, 1710 und dann 1903-1905 und 1935-1936 weitere folgten. Während einer dieser Restaurierungen (sicherlich der des 18. Jahrhunderts) wurde ein Schutzfirnis auf Leimbasis aufgetragen, wodurch fast die gesamte Decke eine stumpfe und matte Wirkung bekam. Wasserinfiltrationen, Kerzenrauch und andere Ursachen bewirkten ebenfalls Beschädigungen, wie noch bei der Beschreibung der Einzelteile zu berichten sein wird. Sie werden anschliessend besprochen, in der Reihenfolge vom Eingang zum Altar, von links nach rechts, immer vom Blickpunkt des eintretenden Beschauers aus gesehen. Diese Reihenfolge ist zwar der biblischen entgegengesetzt, aber sie entspricht weitgehend der Chronologie des Ausführung.

Die absolute Neuheit der Decke, das perspektivische Können (und sei es auch nur als virtuose Übung gewertet), die geistige Spannkraft der Zeichnung, die Vortrefflichkeit der Ausführung, wurden von Vasari beschrieben. Die Entdeckung Michelangelos als "grossen Farbenkünstler" danken wir hingegen Montégut [1870]. Seine Meinung fand nicht das Echo, das der des Vasari beschieden war: offensichtlich wegen der Trübung der Farben und der zusätzlichen Schmutzschicht, aus der aber trotzdem ein so grandioser Reichtum an Tönen in einer so freien und vielfältigen Orchestrierung durchleuchtet, dass man Bemerkungen über die angebliche "marmorne" Monotonie des "Bildhauers" Michelangelo nicht nur zurückweisen, sondern den Künstler neben die berückendsten und elektrisierendsten Manieristen stellen muss. Und zwar neben die Manieristen, die am besten kristallklare Formen mit fröhlichen und zugleich beissenden Farben zu bekleiden wissen, die gefährliches Schillern versprühen, nie gesehene Nordlicht-Reflexe, herrliches Aufleuchten und verklärten Feuerschein hervorzaubern. Die Farbenskala eines Rosso Fiorentino sagt, trotz aller Bewunderung, die sie verdient, dem, der die wahren Farben des *Jonas* gesehen hat, nicht mehr viel Neues. Das affektierteste, leuchtendste und übertriebenste Werk des Beccafumi — vielleicht der grösste Visionär unter den Manieristen — kann dem farbigen Wunder der *Cumäischen Sibylle* oder der *Persischen Sibylle* nichts hinzufügen. Wenn man heute Michelangelo als Meister der Verkürzung betrachtet, so ist diese Bewertung Montégut zu danken, der sich eingehend mit dem Thema befasste, das Vasari "Perfektion der Verkürzung" nannte. Der verdiente Fachmann erkannte die Dynamik in dem kontinuierlichen Vor-und Rückfluten der formalen Impulse, die eine Verkettung zwischen den verschiedenen Elementen der Decke bilden. Die Schlüsse, die er aus seiner Erkenntnis zog, sind richtig, und doch muss man sie als "äusserlich" bezeichnen, denn sie sagen nichts über die tieferen Ursachen der Kunst aus. In der Tat kann man mit der Erkenntnis der Dynamik allein nicht die aufwühlende Dramatik, das Gefühl der Bestürzung und der befruchtenden Übermacht erklären, die den Beschauer in der Sixtina erfassen. Ragghianti [1965] hat der rein architektonischen, wenn auch mit malerischen Mitteln ausgeführten Struktur eingehende Studien gewidmet und wertvolle Erklärungen gefunden. Er fand, dass die zusammenhaltende Dynamik, auf Grund des architektonischen Gerüstes, eine Verbindung zwischen den Figuren des Gefüges erzeugt, das so konkret ist, dass es die Darstellungen in einem geometrischen Organismus zusammendrängt — nicht ohne auch die Gliederung des ehemaligen Mosaikbodens der Kapelle zu berücksichtigen —, so dass dem aufnahmefähigen Besucher bereits ein vorgeschriebener Weg für die Betrachtung des Werkes augedrängt wird.

Ragghianti vergegenwärtigte sich die Projektion der architektonischen Elemente des Freskos und fand, dass die Strukturen, bezogen auf die als Basis dienenden quattrocentesken Ornamente, sehr stark hervortreten ("als wollten sie die Wände sprengen"). Ein enormes Gewicht lagert auf den zarten Lisenen und den zurückgesetzten Mauern der Sixtina. Hieraus erklärt sich der Eindruck, der untere Abschnitt des Raums liege in ruhiger Ferne, während oben die Decke wuchtig über dem Beschauer lastet, oder besser, sie umfängt ihn mit ihren Strukturen und lässt ihn unmittelbar an dem Ablauf der Geschehnisse teilnehmen.

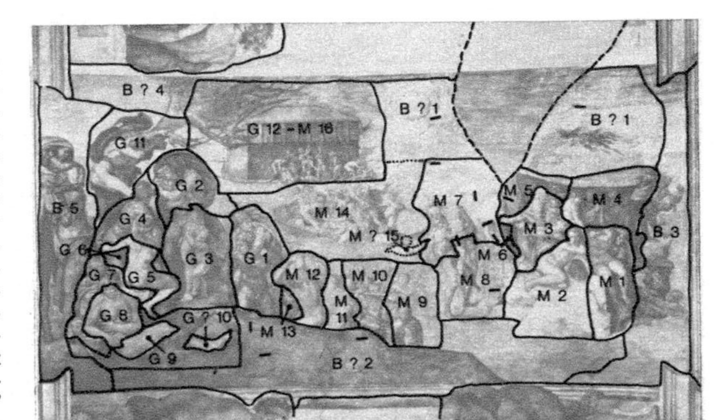

Arbeitsphasen (festgestellte mit durchgehender Linie, ungewisse mit punktierter Linie) und Gehilfenarbeit (mit Buchstaben und Nummern bezeichnet: letztere beziehen sich auf die Folge der Arbeitsphasen, an Hand der drei festgestellten, verschiedenen Pinselführungen, wobei M Michelangelo, B Bugiardini und G Granacci bedeutet), Lücke (mit gestrichelter Linie) und Klammern, die die Putzschicht festhalten (schwarze Striche) in Nr. 15.

18

19 [Tafeln X-XI]

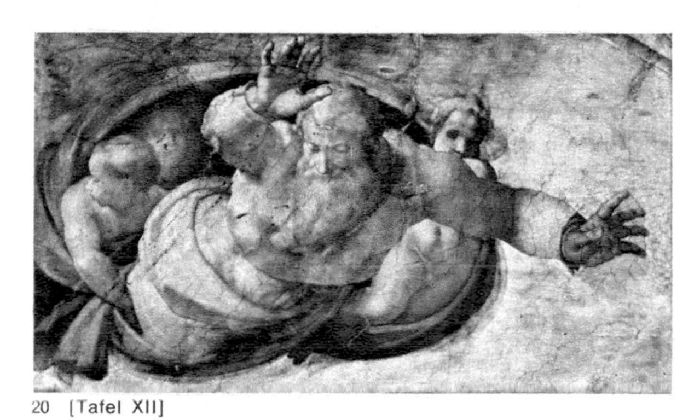

20 [Tafel XII]

21 [Tafel XIII]

Die biblischen Geschichten

Von den neun Hauptszenen haben die zwischen je vier nackte Jünglinge eingeschlossenen fünf Szenen ein kleineres Format, die vier weiteren hingegen nehmen den ganzen Raum zwischen den Friesen ein. Es muss betont werden, dass es sich nicht um simple Illustrationen handelt, sondern "um eine tiefsinnige, plastische Auslegung des Geistes des Alten Testamentes" [Mariani, 1964]. Im zweiten Portal des Ghiberti (Baptisterium, Florenz) finden sich die meisten Parallelen zu den dargestellten Themen.

14 170×260 1509

Die Trunkenheit Noahs.

Die natürlichste Auslegung des Themas ist: Noah schläft neben Schale und Krug, aus denen er sich betrunken hat. Ham, im Vordergrund, verspottet ihn; ein anderen Sohn, vielleicht Japhet, deckt ihn zu, während der dritte, Sem, den Spötter rügt (*Genesis*, 9, 20 ff); links im Hintergrund pflanzt Noah den Rebstock. Wahrscheinlich ist dies die zweite, nach der *Sintflut* gemalte, Hauptszene; einige Drappierungen weisen Mitarbeit der Gehilfen aus [Camesasca]. Der pflanzende Noah wurde ohne vorherige Zeichnung aufgetragen [Biagetti, 1942].

15 280×570 1508-1509

Sintflut.

Die Auslegungen haben schon immer die vielen Bestandteile der "Geschichte" (*Genesis*, 7) hervorgehoben: die Arche, das überfüllte Schiffchen, die Flüchtlinge unter dem Zelt auf der aus dem Wasser ragenden Bergspitze, die "geprüfte" Menge auf der Anhöhe im Vordergrund, Episoden, die von Liebe, Furcht, Mitleid und Egoismus zeugen. Ein Detail, der Ausbruch göttlichen Zorns, dargestellt durch einen Blitz, der das Zelt trifft, von Condivi beschrieben, ist nicht mehr zu sehen, doch eine im Cinquecento angefertigte Kopie im Louvre zeigt ihn noch. Eine Explosion, die sich 1797 in der Engelsburg ereignete, löste dieses Stück des Freskogrundes. Dass diese Hauptszene als erster Teil des Freskos entstand, geht aus Berichten der frühen Biographen hervor. Es wird durch folgende Feststellungen bestätigt: Schimmel trat auf [Vasari; usw.]; die unordentliche, unrationelle Folge der Arbeitstage des Freskos lässt auf noch fehlende Vertrautheit mit seiner Technik schliessen, die später nicht mehr feststellbar ist; die Arbeit anderer "Hände", die auf Gehilfen deutet, die in der ersten Arbeitsphase geholfen haben, wie schon zeitgenössische Biographen berichten. Man fand, dass in der Mitte der Komposition Michelangelos Hand vorherrscht, während Bugiardini vor allen an den seitlichen Figuren gearbeitet hat und Granacci hauptsächlich an den Figuren links im Vordergrund [Camesasca] (s. Schema S. 90).

16 170×260 1509

Noahs Opfer.

Das Thema wird verschieden ausgelegt: einige nehmen an, es sei die Danksagung an Gott für die Rettung vor der Sintflut (*Genesis*, 8, 20), aber in diesem Falle müsste die Szene den Platz der Sintflut gegenüber einnehmen; oder es sei das Opfer des Kain und Abel, "jener Gott dankend, dieser hassend" [Condivi]; des weiteren: Abraham opfert das Lamm anstelle seines Sohnes Isaak [Müntz]; ein Ritus des Götzendieners Lamek [S. Meller], über den in den Bibeltexten keine genauen Angaben zu finden sind; usw. D'Ancona [1964] behauptet, das Fresko sei grösstenteils den Gehilfen zuzuschreiben. Es ist aber plausibler anzunehmen, Michelangelo selber sei der Urheber des Freskos [Camesasca]. Die Ablösung einer grossen Verputzschicht machte eine Restaurierung durch Carnevale schon in der zweiten Hälfte des Cinquecento notwendig.

22

17 280×570 1509-1510

Sündenfall.

Die Versuchung Evas und die Vertreibung aus dem Paradies stellen gleichzeitig den Sündenfall und dessen Konsequenz dar. Vor Michelangelo war diese Art der Darstellung unbekannt und bietet so Grund für zahllose Möglichkeiten der Auslegung: man hebt die Anmut Evas hervor und dann das offensichtlich höhere Alter des Paares bei der Vertreibung (natürlich auch das Fehlen des traditionellen Feigenblatts). Die Zeitgenossen wurden schon aufmerksam gemacht, dass aus der Mitte des Baums "die beiden Kräfte, das Böse und die Rache" herausschnellen [A. Venturi, 1926]. Das Fresko wurde in acht bis neun Tagen aufgetragen und ist von einigen Rissen durchzogen; es ist durch den Firnisauftrag aus dem Jahre 1710 nachgedunkelt.

18 170×260 1509-1510

Erschaffung Evas.

Das Thema entspricht der *Genesis* (2, 21). Die frühe Kritik befasste sich eingehend mit der Gegenüberstellung der dynamischen Eva — deren physische Gelöstheit sehr gelobt wurde — zu dem leblosen Adam und der "absoluten Autorität" Gottvaters. Die Szene wird diagonal von einem grossen Riss durchzogen.

19 280×570 1510

Erschaffung Adams.

Das Thema ist der *Genesis* (1, 26) entnommen. Die Aufmerksamkeit der Interpreten konzentrierte sich auf die schöpferische Geste: schon Condivi sieht darin eine von Gottvater gegebene Anweisung; in der Neuzeit sieht Füssli [1801] in der Annäherung der Finger den elektrischen, lebensspendenden Kontakt. Die elf Engel, die Gottvater tragen, finden ebenfalls esotherische Auslegungen: besonders die unter dem linken Arm Gottvaters neugierig hervorschauende Frauengestalt wurde als Eva ausgelegt [Richter, 1875; usw.] oder ihr Vorstellungsbild [Tolnay], die Weisheit [Sanday, 1875], die Madonna [Higgins, 1875], die Seele des Menschen [Hettner, 1879], Dantes Beatrice [Spahn, 1907]. Das Fresko ist von tiefen, langen Rissen durchzogen und der Firnis verdunkelt ein Rechteck des Himmels — eine grotesk wirkende Beschädigung.

20 155×270 1511

Gott scheidet Wasser und Erde.

Die Meinungen über das dargestellte Thema gehen sehr auseinander: Vasari sieht hier den dritten Schöpfungstag ("es sammle sich das Wasser ... dass man das Trockene sehe" [*Genesis*, 1, 9]) und findet den meisten Anhang; doch auch Condivis These, es handle sich um

23 A, B und C

24 A, B und C [Tafel XIV]

25 A, B und C [Tafel XV]

26 A, B und C [Tafel XVI]

Genesis, 1, 20, also die Erschaffung der Fische und Vögel, fand Anhänger; andere sehen in ihm die Erschaffung der Tierwelt schlechthin [Chattard, 1766; bis Carli, 1964]; andere wieder die Teilung des Himmels und der Erde [Lange, 1910; bis Tolnay]. Die Spuren der Übertragung vom Karton sind in dieser Szene besonders deutlich, vor allem im Antlitz Gottvaters, dessen rechte Hand übermalt scheint, vielleicht von Carnevale (1566-1572).

21 *280×570* 1511

Erschaffung der Gestirne.

Der Grossteil der modernen Fachgelehrten schliesst sich Condivis Meinung an, dass die Tatsache des zweimaligen Vorhandenseins Gottvaters in der gleichen Szene zwei Schöpfungstage andeuten soll, den dritten und den vierten: Gottvater (en face) schafft mit der Rechten die Sonne und mit der Linken den Mond; Gottvater (mit Rücken zum Beschauer) erschafft die Pflanzenwelt. Die zweite Darstellung wird auch als "das fliehende Chaos" ausgelegt, oder "die Nacht" usw. Verschiedene esotherische Auslegungen finden die Putten, die Gottvater (en face) stützen. Der anderen Gestalt wird der geschickten perspektivischen Lösung wegen grosses Lob gezollt.

22 *180×260* 1511

Scheidung von Licht und Finsternis.

Fast einstimmig wird auch heute noch Condivis Auslegung angenommen, es handle sich um die Scheidung von Finsternis und Licht (*Genesis*, 1, 4). Das Bild weist Sprünge und Restaurierungen auf.

Die nackten Jünglinge

Sie sind meist lebensgross, 150 bis 180 cm. Ihre Funktion besteht offensichtlich darin, paarweise Girlanden und, mittels Bändern, Medaillons zu halten, die Bronze als Material vortäuschen. Die Jünglinge sitzen auf kubischen Postamenten über den Seherthronen. Im ganzen sind es 20 Figuren, über den Propheten der beiden Schmalseiten fehlen sie. Die zur *Trunkenheit* gehörenden Paare ähneln sich in ihren Bewegungen und lassen auf die Anwendung des gleichen Kartons schliessen; dann aber werden die Posen immer differenzierter. Sie wurden als Karyatiden gedeutet, aber sie tragen nichts, ferner als Sklaven oder Gefangene, doch fehlen ihnen die Ketten. Vasari sieht in ihnen das Symbol der "goldenen Zeit", die mit Julius II. in Italien heraufzog; die modernen Interpreten neigen dazu, in ihnen Beziehungen zu den Ideen Savonarolas [Klaczko, 1898], der Neuplatoniker [Tolnay], der Theologen des Cinquecento [Hartt] zu vermuten. Nachfolgend werden die Paare einzeln beschrieben, wobei *A* sich auf die Figur links, *C* auf die Figur rechts vom Medaillon und *B* auf das Medaillon selbst bezieht (Seite 93).

Unbekannter Zeichner (vielleicht Florentiner) um 1535; Kopie von Nr. 23 A im ursprünglichen Zustand (Windsor Castle).

23 *190×385* 1509

Paar über der delphischen Sibylle.

A. Die Explosion im Jahre 1797 zerstörte es weitgehend, und man kann sich das Aussehen nur nach einer Kopie aus dem 16. Jahrhundert vorstellen.

C. Die frühe Kritik befasste sich besonders mit der Deutung des melancholischen Ausdrucks. Die Figur durchzieht ein tiefer Riss.

24 *190×385* 1509

Paar über Joel.

A. Wegen der männlichen Versunkenheit von den frühen Kritikern gelobt.

C. Man fand, der Jüngling gleiche einer berühmten Aktfigur im Gemälde Signorellis, *Tod des Moses*, in der Sixtina [Jacobsen - Ferri, 1905].

25 *190×395* 1509

Paar über Isaias.

A. Sein lächelndes Frohsein wird gerühmt, obwohl es vom Firnis sehr verunstaltet ist.

C. Die ersten Interpreten sagen, dass die Anstrengung des Ansichziehens der Girlande ihm den ärgerlichen Gesichtsausdruck verleihe. Die Malerei weist mehrere Sprünge auf.

26 *190×390* 1509

Paar über der eritreischen Sibylle.

A. Die Stellung der Figur wurde mit einer alten Gemme in Verbindung gebracht, Diomedes darstellend, von der Schule Donatellos kopiert in einem Tondo, das sich im Hof des Palazzo Medici in Florenz befindet [Wickhoff, 1882]. Durch Firnis im 18. Jahrhundert stark verändert.

C. Auch für diese Figur wird Diomedes als Vorbild angesehen. Gut erhalten.

27 *195×385* 1509-1510

Paar über der cumäischen Sibylle.

A. Wurde von den frühen Kritikern wenig beachtet; die mythostreuen Interpreten finden, er wende sich mit "stummem Staunen" der *Erschaffung des Adam* zu, die eine Vorausahnung der Menschwerdung Jesu sei [Hartt].

C. Durch Risse stark beschädigt.

28 *195×385* 1509-1510

Paar über Ezechiel.

A. Die weiche, feminine Formengebung wird hervorgehoben. Der Malgrund hat tiefe Risse.

C. Gut in der Erhaltung.

29 *195×385* 1511

Paar über Daniel.

A. Wurde als "eine Art Neger" bezeichnet [Geffroy]; er wurde auch mit dem *Rebellischen Sklaven* im Louvre [Steinmann] verglichen.

C. Häufig sieht man in ihm einen ausgelassen tanzenden Satyr. Beschädigt durch einen Riss längs des Schenkels.

30 *200×395* 1511

Paar über der persischen Sibylle.

A. Die stolze, statische Haltung dieser Figur ist das Ergebnis eines kräftigen Kontraposts [Freedberg, 1961]. Durch Risse beschädigt.

C. Er ist wegen der geradezu schreienden Dynamik seiner Haltung der meistbewunderte Jüngling. Längs des stark abgewinkelten Beins zieht sich ein langer Riss.

31 *195×385* 1511

Paar über der libyschen Sibylle.

A. Der Erhaltungszustand ist ziemlich gut.

C. Die Pose soll an die des Herkules, den jungen Bacchus auf der Schulter tragend, erinnern [Steinmann; usw.]; man findet auch Einflüsse von der klassischen *Laokoongruppe* und dem *sterbenden Sklaven* Michelangelos im Louvre [Clark, 1956]. Diagonal von einem tiefen Riss durchzogen.

32 *200×395* 1511

Paar über Jeremias.

A. Gepriesen wegen der physischen Schönheit. Er hat Risse und Unebenheiten, die vom Firnis herrühren.

C. Die Übereinstimmung mit der Pose des *Torso von Belvedere* ist einstimmig anerkannt. Zahlreiche vom Firnis herrührende Unregelmässigkeiten.

Die Medaillons

Die Durchmesser variieren zwischen 130 und 140 cm. Die Themen werden mit der Bibel in Verbindung gebracht, auch mit den Szenen der ersten Gesänge des *Fegfeuers* aus Dantes Divina Commedia, mit den Episoden, die die unteren Wände der Sixtina schmücken, oder sogar mit dem Hostienkult Papst Julius II. Hier werden die Deutungen von Steinmann wiedergegeben, die offenbar der Wahrheit am nächsten kommen; von Tolnay sind hier die technischen Einzelheiten übernommen. Bezüglich Numerierung siehe die *Nackten Jünglinge* (Seite 92).

23 B. Joab, Neffe Davids, erschlägt Abner (2. Samuel 3, 27). Die Komposition ist sicher von Michelangelo, die Figur des Joab weist aber die Pinselführung eines Gehilfen auf.

24 B. Die Leiche des Königs Joram wird von Badaker aus dem Wagen geworfen (2. Könige 9, 21 ff.). Komposition und Ausführung wahrscheinlich von Michelangelo, ausser der Figur des Joram.

25 B. Tod des Urias, Gemahl der Bathseba (2. Samuel 11, 24); die kniende Figur links (später "a secco" aufgetragen) ist vielleicht der bereuende König David. Camesasca meint, Bugiardini hätte das Fresko aufgetragen.

26 B. Jehu lässt das Bildnis Baals zerstören (2. Könige 10, 25 ff.). Die zwei rechtsstehenden und nicht vergoldeten Figuren wurden später "a secco" aufgetragen, vielleicht von Aristotile da Sangallo, wie auch die übrigen der Serie.

27 B. David kniet vor dem Propheten Nathan (2. Samuel 12, 1 ff.). Der Krieger links wurde "a secco" aufgetragen und stammt vermutlich von da Sangallo.

28 B. Vernichtung des Stammes Achab (2. Könige 10, 17). Die beiden Reiter und die Soldaten im Vordergrund stammen vielleicht von da Sangallo, das übrige dürfte erst später hinzugekommen sein.

29 B. Tod des Absalom (2. Samuel 18, 9 ff.). Vielleicht ist ausser der Malerei auch die Zeichnung von da Sangallo.

30 B. Unbemalt.

31 B. Abrahams Opfer (Genesis 22, 9, ff.).

32 B. Elias fährt auf dem Flammenwagen zum Himmel (2. Könige 2, 11 ff.). Die Pferde wurden später hinzugefügt.

27 A, B und C

28 A, B und C [Tafel XVII]

29 A, B und C

30 A, B und C [Tafeln XVIII-XIX]

31 A, B und C

32 A, B und C [Tafeln XX-XXI]

33 A, B und C [Tafel XXII]

Die Seher: Propheten und Sibyllen

Die überlebensgrossen Figuren der Propheten und Sibyllen haben eine Grösse zwischen 260 und 298 cm. Sieben Propheten sind aus der hebräischen Überlieferung, fünf Sibyllen den griechischen Mythen entnommen. Jeder Figur sind zwei Begleiter beigegeben, die viele Deutungen fanden: sie folgen einer idealen Chronologie [Justi, 1900]; ihre figürliche Einordnung unterstreiche die prophetische Intensität [Dvorák, 1927-1929; Thode, 1908-1913]; sie bezögen sich auf politische Ereignisse des Cinquecento [Justi], auf die in der Sixtina zelebrierten Feiern [Steinmann] oder die nebenstehenden biblischen Geschichten [Tolnay]. Es werden noch zahlreiche Deutungen aus literarischen Quellen angeboten, und die Meinungen über die Begleiter gehen weit auseinander. Wölfflin [1890] danken wir die wichtige Feststellung über die progressive Zunahme der Proportionen der Seher. Wenn man die Serie vom Eingang in Richtung Altar betrachtet, stellt man ein zunehmendes Absinken der Postamente, unter denen sich die plakettentragenden Putten befinden, fest. Von den vielen angebotenen Hypothesen scheint die annehmbarste zu sein: der Künstler wollte die perspektivische Verkleinerung des Gewölbes korrigieren, wie es sich dem Beschauer vom Eingang her darbietet. Die nun im einzelnen beschriebenen Seher sind mit *B* bezeichnet, während *A* und *C* die jeweils links und rechts befindlichen Karyatidenputten bezeichnen (s. Seite 95) und *D* die plakettentragenden Putten (s. Seite 96 u. 97).

34 A, B und C [Tafel XXIII]

35 A, B und C [Tafel XXVIII]

36 A, B und C [Tafel XXV]

37 A, B und C [Tafel XXVI]

38 A, B und C [Tafel XXVII]

39 A, B und C [Tafel XXIV]

33 *360×390* 1509

Zacharias.

B. Vasari sieht ihn damit beschäftigt "im Buche etwas zu suchen, was er nicht findet" und verursacht damit zahllose Hypothesen. Man sieht in ihm auch das Symbol des Papsttums, des Gebetes, des Gesetzes, der Bauvorhaben Julius' II usw. Die Drappierung des Gewandes ist "a secco" aufgetragen und durch die Feuchtigkeit fast zerstört.

34 *350×380* 1509

Delphische Sibylle.

B. Die physische Schönheit der Figur hat ihr die grösste Bewunderung eingetragen. Man sieht in ihr eine Anspielung auf Kassandra, auf die griechische Kultur usw. Stilistisch klingt sie an die *Madonnen* aus der Frühzeit des Meisters an.

35 *355×380* 1509

Joel.

B. Vasari findet, er sei von der Lektüre befriedigt, was zu vielen naturalistischen Deutungen führte. Man glaubte, in ihm ein Porträt des Bramante zu sehen.

36 *365×380* 1509

Isaias.

B. Laut Vasari antwortet er auf den Anruf eines als göttlichen Botschafter gedeuteten Begleiters, der schlechte oder gute Nachricht bringt. Die Farbe der Tunika ist zum Teil abgeblättert.

37 *360×380* 1509

Eritreische Sibylle.

B. Man empfindet sie ernst, herausfordernd, aggressiv (und man tadelt ihre "Boxer"-Arme [Bérence, 1947]). Sie wendet ein Blatt um, auf dem nur der Buchstabe "Q" zu sehen ist. Camesasca nimmt an, es bestehe eine Verbindung mit *Ezechiel*, dem sie sich fragend zuwende: es wäre dies die einzige Verbindung der Seher untereinander. Das Anzünden der Lampe durch den Begleiter soll das Symbol der seherischen Gabe sein; der Begleiter habe sonnengebräunte Haut [Mariani, 1964], aber es kann sich auch nur um den Effekt der Firnisauftragung im 18. Jahrhundert handeln. Es wurden kleine Ausbesserungen vorgenommen.

38 ▦ ⊕ *375×380* 1510 ▤ ⁝

Cumäische Sibylle.

B. Ihr greisenhaftes Aussehen gab zu vielen Auslegungen Anlass ("virago plebea" — plebejisches Mannweib — mit "etruskischem Einschlag", usw.); des weiteren ist sie bestürzt oder erschrocken, so dass sogar die Begleiter beeindruckt sind. An einigen Stellen restauriert.

39 ▦ ⊕ *355×380* 1510 ▤ ⁝

Ezechiel.

B. Er ist erregt und zornig, man unterstellt ihm, er "fluche mit südländischer Gebärde". Der Begleiter, dem er sich zuwendet, soll eine Mädchengestalt sein; aber die meisten bezeichnen ihn als einen Engel. Bertini [1942] sieht in dieser Figur eine Anlehnung an Leonardo, was aber von anderen [Clemens, 1964] abgelehnt wird, neuerdings jedoch wieder Anhang findet und gar auf die Figur des Ezechiel ausgedehnt wird [Camesasca]. Kleidung verschiedentlich beschädigt.

40 ▦ ⊕ *395×380* 1511 ▤ ⁝

Daniel.

B. Man nimmt allgemein an, er vergleiche zwei Texte im Zusammenhang mit dem Jüngsten Gericht, auch die beiden Begleiter hätten eine gleiche Beziehung. Das Fresko hat stark unter Feuchtigkeit gelitten.

41 ▦ ⊕ *400×380* 1511 ▤ ⁝

Persische Sibylle.

B. Vasari schon rügte ihr "Alter" und ihre "Kurzsichtigkeit", andere ihren "Buckel". Die Bekleidung der Begleiter fällt aus der Reihe [Michelet, 1876; usw.] und wiederholt sich nur bei *Jeremias*. Im unteren Teil leicht ausgebessert.

42 ▦ ⊕ *395×380* 1511 ▤ ⁝

Libysche Sibylle.

B. Die Interpretation Vasaris — sie hätte eben aufgehört zu schreiben und lege mit einer an den *Tondo Doni* anklingenden Gebärde das Buch zurück — findet allgemein Anklang; moderne Interpreten hingegen finden, sie nehme das Buch erst zur Hand. Ausbesserungen, Abschleifungen, oxydierte Stellen und unregelmässiger Firnisauftrag entstellen das Fresko.

43 ▦ ⊕ *390×380* 1511 ▤ ⁝

Jeremias.

B. Die schon von Vasari hervorgehobene "Verbitterung" wurde von seinen Nachfolgern dramatisiert und der damaligen seelischen Stimmung des Meisters zugeschrieben. Man will hier ein mehr oder weniger symbolisches Selbstbildnis sehen. Eine Etikette an der Basis des Throns mit der Inschrift "Alef V", gefolgt von einem "M", wurde verschieden kommentiert. Die beiden Begleiter werden vielfach als Frauenfiguren bezeichnet und auf die Kirche, auf Zion, auf Rachel usw. bezogen. Die Figur des Sehers klinge an den *hl. Johannes* des Ghiberti an der Nordtüre des Baptisteriums zu Florenz an. Das Fresko weist Risse und farbliche Veränderungen auf.

44 ▦ ⊕ *400×380* 1511 ▤ ⁝

Jonas.

B. Die Gebärde des "Propheten der Auferstehung", gemalt in einer kühnen Verkürzung, wurde mit den vielen Schicksalsschlägen seines Lebens in Verbindung gebracht. Vorwiegend ist die Ansicht, der ebenfalls vorhandene Walfisch habe ihn eben ausgespien. Bei den beiden Begleitern — die angeblich die Schicksalsschläge des Propheten teilen —, soll es sich im Vordergrund um ein Mädchen handeln, das das Mitleid oder Ninive symbolisiert. Verschiedene Risse und Restaurierungen.

Karyatidenputten

Marmorskulpturen vortäuschend, flankieren sie die Seher und haben die Aufgabe, "sozusagen das Gesims, das das Werk rings umgibt" [Condivi] und die Throne nach oben abschliesst, zu halten. Für die jeweils einem Thron zugehörenden Paare ist derselbe Karton seitenverkehrt verwendet worden. Die Paare bestehen aus einem männlichen und einem weiblichen Putto, die natürlich symbolisch gedeutet werden. Thode nimmt an, dass die Ausführung weitgehend Gehilfenarbeit sei. Camesasca glaubt sogar, dass mehrere Gehilfen malten. Bezüglich Numerierung siehe *Die Seher* (Seite 94).

Zacharias.

33 A. Die Gruppe schreibt man früheren Inspirationen Michelangelos zu [Wölfflin, 1891] oder einer klassischen Gemme, *Amor und Psyche*, aus den Sammlungen der Medici [Tolnay]. Wahrscheinlich von einem Gehilfen gemalt.

33 C. Mit grosser Wahrscheinlichkeit von Michelangelo selbst aufgetragen.

Delphische Sibylle.

34 A. Der Farbauftrag scheint von geringerer Qualität zu sein

40 A, B und C [Tafel XXIX]

41 A, B und C [Tafel XXX]

42 A, B und C [Tafel XXXI]

43 A, B und C [Tafel XXXII]

Arbeitsphasen (durchgehende Linie: die Phase, die sich auf den Fuss bezieht, wurde wahrscheinlich von Michelangelo selbst ausgeführt), Aufteilungen (gestrichelte Linie: im Gesicht kann man noch die Spuren der in die feuchte Wand eingedrückten Linien sehen, als Anhalt für die Symmetrie), sowie die Spuren der Nägel, an denen die Kartons während der Übertragung auf den frischen Putz befestigt worden waren (Kreuzchen) in Nr. 34.

34 D

35 D

36 D

37 D

38 D

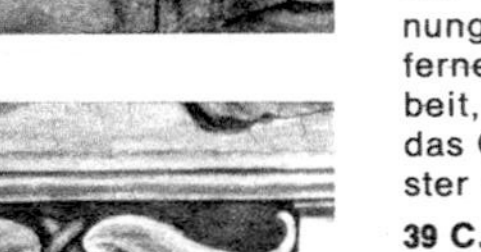
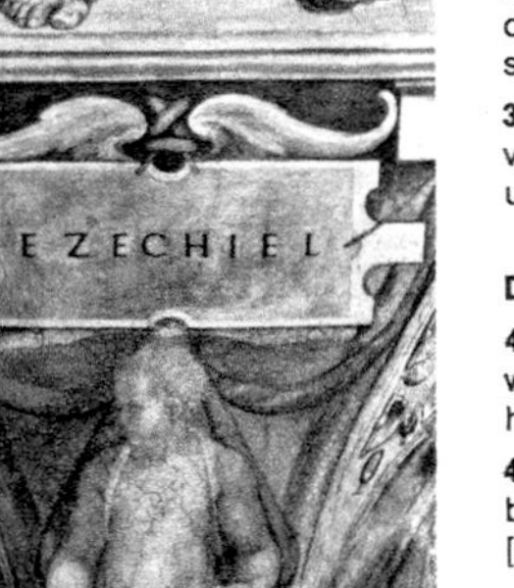

39 D

40 D [Tafel XXXIV]

41 D

wie derjenige des andern Paares und weist einige Beschädigungen auf.

34 C. Vielleicht vom Meister selbst gemalt.

Joel.

35 A. Laut Thode von Michelangelo selbst gemalt.

35 C. Laut Thode von einem Gehilfen aufgetragen, jedoch in der Arbeit besser als das gegenstück [Camesasca].

Isaias.

36 A. Die Ausarbeitung ist besser als die des anderen Paares [Tolnay], doch nicht so gut, dass sie dem Meister zugeschrieben werden könnte.

36 C. Für die von Schäden beeinträchtigte Gruppe gilt das eben Gesagte.

Eritreische Sibylle.

37 A. Im Vergleich zum Gegenstück scheint die Ausführung wesentlich besser [Thode]: trotzdem könnte sie von einem Gehilfen gemalt sein.

37 C. Offensichtliche Arbeit eines Gehilfen.

Cumäische Sibylle.

38 A. Das Fresko ist von schlechterer Qualität als das Pendant [Camesasca] und stammt sicherlich von einem Gehilfen.

38 C. Trotz der besseren Arbeit im Vergleich mit der vorhergehenden Gruppe, dürfte es eine Gehilfenarbeit sein.

Ezechiel.

39 A. Man bemerkt, dass sich die Putten wegen eines Meinungsstreites voneinander entfernen [Michelet; usw.]. Die Arbeit, von besserer Qualität als das Gegenstück, muss dem Meister zugeschrieben werden.

39 C. Die Gruppe ist bestimmt von einem Gehilfen ausgeführt und scheint ziemlich restauriert.

Daniel.

40 A. Die Ausarbeitung stammt wahrscheinlich von einem Gehilfen.

40 C. In der Ausführung etwas besser als die andere Gruppe [Camesasca].

Persische Sibylle.

41 A. Die Putten sind farblich ausserordentlich matt und wurden wahrscheinlich von einem Gehilfen gemalt [Thode].

41 C. Wenn auch besser als die vorhergehende, dürfte es doch die Arbeit eines Gehilfen sein.

Libysche Sibylle.

42 A. Die Ausarbeitung scheint von geringerer Qualität als beim Pendant, doch starke Beschädigungen lassen kein einwandfreies Urteil zu.

42 C. Man vermutet mit Recht die Mitarbeit der Gehilfen [Tolnay], wenn auch die Gruppe qualitativ besser als die vorhergehende ist.

Jeremias.

43 A. Es ist die bessere der beiden Gruppen, doch dürfte sie nicht von der Hand des Meisters sein.

43 C. Offensichtlich von Gehilfen gemalt [Thode].

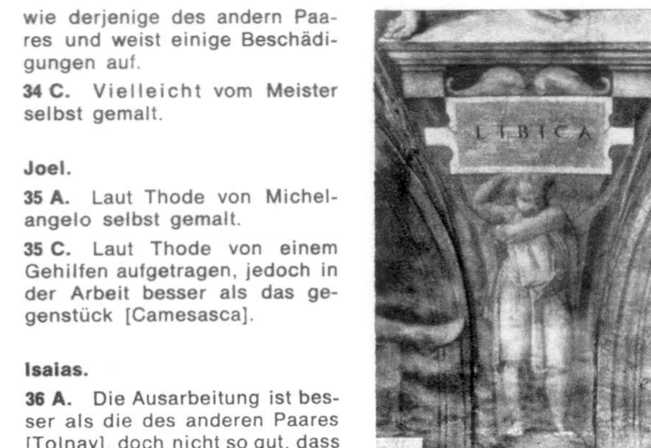

42 D

43 D

Jonas.

44 A. Beide Gruppen werden einem Gehilfen zugeschrieben [Thode; Tolnay], wobei Bugiardini als Autor vermutet wird [Camesasca].

44 C. Das soeben Gesagte gilt auch für diese Gruppe.

Die plakettentragenden Putten

Bei den ersten drei Paaren (wobei unter Paaren die sich jeweils an der Wand gegenüberstehenden Putten gemeint sind) wurde nur ein Karton verwendet, wovon einer seitenverkehrt. Das Abnehmen ihrer Grösse (und vor allem der Basis, auf der sie stehen) vom Eingang gegen den Altar hin, steht in Beziehung zur wachsenden Grösse der Seher. Unter den Plaketten des Zacharias und Jonas an den Schmalseiten der Sixtina, fehlen die Putten. Bezüglich Numerierung siehe *Die Seher* (Seite 94).

34 D. Die Inschrift lautet "DELPHICA", und die Ausführung dürfte von einem Gehilfen stammen, die schlechte Konservierung lässt keine genauere Bewertung zu [Camesasca].

35 D. "IOEL". Die Schäden, nicht geringer als beim vorhergehenden Putto, wurden teilweise restauriert.

36 D. "ESAIAS". Der rechte Arm wurde neu gemalt, der Rest ist stark oxydiert.

45 B

46 B

47 B

48 B

37 D. "ERITHRAEA". Sehr stark übermalt.

38 D. "CVMAEA". Vielleicht von einem Gehilfen; weitgehend zerstört.

39 D. "EZECHIEL". Sehr beeinträchtigt durch Sprünge und Beschädigungen des Firnis.

40 D. "DANIEL". Damit beginnt die Serie der "physischen Hässlichkeiten" (41 D. ausgenommen). Dieser Putto wurde als wütender Zwerg gesehen, vielleicht auch eine Zwergin. Stark zerstört und ausgebessert.

41 D. "PERSICHA". Stark beschädigt und restauriert.

42 D. "LIBICA". Wahrscheinlich von einem Gehilfen gemalt. Stark beschädigt.

43 D. "HIEREMIAS". Michelet widmete dieser missgestalteten, schwangeren Zwergin eine eingehende Beschreibung; er fand Zustimmung bei anderen Interpreten, doch stellte man fest [Camesasca], dass Michelet durch eine stark verzerrte photographische Wiedergabe beeinflusst wurde, die durch die Gewölberundung entsteht.

Die bronzefarbenen Männer

Diese Gestalten sind nackt in die Zwickel über den Stichkappen, beidseitig der Widderköp-

Unbekannter Zeichner aus dem 16. Jh., Kopie des bronzefarbenen Mannes, *rechts im Paar 55 B (Cambridge, Fogg Art Museum).*

fe, hineingesetzt. Sie sind in einem Bronzeton gehalten, der vielleicht ursprünglich mit Goldlichtern angereichert war. Die Deutungen sind verschiedenartig: Statuen, Pantomimen, Atlanten, gefesselte Dämonen (aber sie haben keine Ketten), die Urmenschheit usw. Die Paare sind nach dem gleichen Karton gegengleich gemalt; bei den ersten besteht noch erheblicher klassischer Einfluss — man denkt an plastische Gestalten der Flussgottheiten [Steinmann]; andere Interpreten sehen Donatello als Inspirator [Holroyd] — auch sieht man in ihnen Jugendideen Michelangelos. Mitarbeit bei der Ausführung wurde von Tolnay zugegeben, wegen der Beschädigungen ist das Ausmass schwer zu bestimmen [Camesasca]. In den folgenden Einzelbeschreibungen haben die Paare dieselben Nummern der dazugehörenden Stichkappen und Zwickelfelder, unter Zusatz des Buchstabens *B* (der Nummernbezeichnung der Stichkappen und Zwickelfelder folgt ein *A*). Für die Wiedergabe der Nummern von 49 *B* bis 56 *B* siehe die Abbildungen der entsprechenden Stichkappen.

45 B. Die Akte ruhen auf undekoriertem Hintergrund, sind beschädigt und schlecht restauriert.

46 B. Für diese Akte gilt das unter 45 B gesagte.

47 B. Von dieser Nummer an ist der Hintergrund mit einer Art Segel abgedeckt. Sehr schlechte Konservierung.

48 B. Der Akt rechts ist stark beschädigt.

49 B. Im Hintergrund ein klassizistisches Eichelmotiv (bis 51 B).

50 B. Stark oxydiert.

51 B. Der Kopf des Aktes rechts zeigt Einfluss von Leonardo [Camesasca].

52 B. Von hier an hört das Eichelmotiv wieder auf. Sehr stark beschädigt.

53 B. Die Putzschicht hat sich gehoben.

54 B. Ausser den üblichen Schäden stellt man einen tiefen Riss fest.

55 B. Schlechte Ausbesserungen sind deutlich zu sehen.

56 B. Besonders die Figur links ist stark beschädigt.

Zwickelfelder

Obwohl die Zwickelfelder hier als gesonderte Serie behandelt werden, so gehören sie doch bei der Deckenaufteilung zu den Stichkappen. Sie sind unter der Titelbezeichnung *Die wunderbaren Rettungen Israels* bekannt. Wölfflin [1890] hat als erster festgestellt, dass die beiden Felder über dem Eingang weniger figurenreich sind als die gegenüberliegenden. Bezüglich Numerierung der einzelnen Beschreibungen siehe *Die bronzefarbenen Männer* (weiter oben).

45  *570×970* 1509

Judith und Holofernes.

A. Es stellt die bekannte Episode aus den Apokryphischen Büchern dar (Judith 13): die Enthauptung Holofernes durch die Witwe aus der Stadt Bethulia. Judith wird als Symbol der Freiheit gedeutet (nicht ohne polemische Absichten des Künstlers gegenüber dem auftraggebenden Papst), als göttliche Gerechtigkeit, als triumphierende Kirche usw. Es gibt Auslegungen, die im abgeschlagenen Haupt des Holofernes ein Porträt Michelangelos sehen wollen. Es scheint das erste Zwickelfeld. Ein tiefer Riss in der Mitte wurde mit Wachs schlecht ausgebessert.

45 A [Tafel XXXVI]

46 A [Tafel XXXV]

47 A

48 A [Tafel XXXVII]

46 *570×970* 1509

David und Goliath.

A. Das Thema ist der Bibel entnommen (1. Samuel 17) und schildert den Höhepunkt dieser Episode, als David Goliath enthauptete. Die Soldatenköpfe im Hintergrund kann man im Schatten kaum erkennen. An der unteren Spitze ist der Verputz abgefallen.

47 *585×985* 1511

Die eherne Schlange.

A. Entmutigt vom beschwerlichen Marsch durch die Wüste, "murrte das Volk von Israel und sprach gegen Gott und gegen Moses"; da schickte ihnen der Herr giftige Schlangen. Von ihrer Abirrung bekehrt, fertigten sie auf göttlichen Rat eine eherne Schlange an, die sie an einem Pfahl befestigten. Wer nun gebissen wurde und das Schlangenbild ansah, war vom Tode gerettet (Numeri 21, 4 ff.). Vasari will Moses in dem Jüngling erkennen, der eine Frau stützt; andere sehen Moses in dem Alten mit den erhobenen Händen rechts; Tolnay meint, Moses sei auf dem Fresko nicht abgebildet. Die Auslegungen beziehen sich auf den Kampf der Menschheit mit dem Schicksal, auf die wundertätige Macht der Kirche usw. Nach allgemeiner Ansicht ist ein Einfluss der *Laokoongruppe* zu erkennen.

48 *585×985* 1511

Bestrafung Hamans.

A. Schon Vasari zitiert den biblischen Text (Esther 3): die jüdische Sklavin Esther, Nichte des Mardochai und Ehefrau des Königs Ahasverus, deckt — nach einem vorangegangenen Streit zwischen dem Günstling des Königs, Haman, und ihrem Onkel — eine Verschwörung Hamans gegen den König auf. Sie erreicht damit, dass weitere, von Haman geplante Tötungen der Juden verhindert werden und er selbst verurteilt wird. Das Bild beschreibt gleichzeitig drei Episoden, durch angedeutete Wände getrennt: rechts befiehlt Ahasverus, dass Mardochai gerufen werde, um ihn zu belohnen; links die vom König einberufene Beratung, um Haman zu verurteilen; in der Mitte das ausgeführte Urteil: Haman in einer qualvollen Drehung ans Kreuz genagelt (der Bibeltext hingegen spricht von Erhängen). Allgemein wird diese Auslegung angenommen, aber es gibt andere: die Beratung sei eine Einladung der Esther oder eine Liebesszene zwischen ihr und dem König usw. Die nach verborgenem Sinn Suchenden sehen in Haman einen falschen Christus [Levi, 1883], oder eine Vorahnung des Erlösers [Spahn, 1907], was andere wieder in Mardochai oder Ahasverus sehen [Hartt], während Esther die Madonna bedeute [Parroni, 1934] oder die Kirche [Hartt] usw. Auch hier wird allgemein der Einfluss des *Laokoon* angenommen; aber es werden als Vorbild auch klassische Sarkophage mit dem Mythos des Orest herangezogen [Tolnay] und Giotto in S. Croce in Florenz [Wilde, 1932]. Ein grösserer Teil des Freskos auf der linken Seite wurde restauriert, wobei auch der Verputz erneuert wurde.

49 A und B [Tafel XXXVIII B]

50 A und B

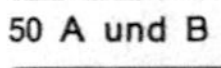

51 A und B

52 A und B

Stichkappen

Die Interpretation Condivis, dass Stichkappen und Lünetten sich ausschliesslich mit Darstellungen aus der königlichen Ahnenreihe Christi beschäftigen, fand weitgehende Zustimmung. Erst die neuere Kritik [Thode] will die Ahnen nur in den Lünetten sehen, während die Stichkappen heidnische Themen behandelten (vor anderen noch als jüdische Familien in der Erwartung des Messias gesehen [Zola, 1890; usw.]). Den Meinungsverschiedenheiten liegt die Interpretation der Inschriften zugrunde: ob man den ersten Namen auf die darüber befindliche Stichkappe beziehen soll (meist üblich), oder ob dessen Bedeutung nur für die Lünetten gilt. Auch über die künstlerische Bewertung gehen die Meinungen auseinander: sehr geschätzt von Vasari und den romantischen Interpreten, versuchten die Puristen sie abzuwerten. Die heutige Kritik sieht in ihnen einen Höhepunkt künstlerischer Freiheit. Bei der Numerierung der anschliessenden Beschreibungen siehe *Die bronzefarbenen Männer* (Seite 97).

49 *245×340* 1509

A. Wenn man für die Interpretation die erste Namensinschrift der Lünette als gültig annimmt, handelt es sich um den König Josias, mit Mutter und Vater Amon, der von Tolnay als Symbol des Bösen gesehen wird. Die Malerei weist einige Feuchtigkeitsschäden auf.

50 *245×340* 1509

A. Der künftige König Zorobabel mit Vater Salathiel und Mutter. Die "Geschichte" stände mit der *Sintflut* in Verbindung (Nr. 15) sowohl durch die Gliederung des Freskos, als auch durch die Bedeutung "Zorobabel", was "Herr von Babylon" bedeutet, der Stadt der Götzendiener, aus welcher nur die Gläubigen gerettet wurden [Hartt].

51 *245×340* 1510

A. Der künftige König Ezechias sieht wachsam aus dem Bild, im Gegensatz zu dem schlafenden Vater Achaz. Nicht ohne symbolische Bedeutungen [Tolnay].

52 *245×340* 1510

A. Der künftige König Ozias, dessen gütige Herrschaft auf dem Thron von Judäa durch die Figur der Mutter vorgezeigt ist;

dahinter der "gleichgültige" Joram mit einem anderen Sohn. Erhaltungszustand wie bei N. 49.

53 *240×340* 1511

A. Der künftige König Asa, berühmter Bekämpfer heidnischer Kulte, tröstet, in ein Pilgergewand gekleidet, den dahintersitzenden Vater, während die Mutter — eine Götzenanbeterin — eingeschlummert ist [Tolnay]. Erhaltungszustand wie Nr. 49.

54 *240×340* 1511

A. Die Frau, Mutter des künftigen Königs Roboam, ist Sinnbild der Entspannung, die nach der Bibel (1. Könige 12, 18 ff.) der erwachsene Sohn herbeiführte. Die Figur im Hintergrund sei der grosse Salomon. Schlechter konserviert als die vorhergehenden Malereien.

55 *245×340* 1511

A. Das hinter den Eltern im Schatten versteckte Kind soll der künftige König Jesse sein.

56 *245×340* 1511

A. Thode hat als erster behauptet, die Frau zerschneide mit Hilfe des Sohns ein Gewand; der Sohn sei der künftige König Salomon und die Geste des Zerschneidens eine Andeutung der babylonischen Gefangenschaft [Tolnay]. Zustand wie Nr. 49, rechts unten ein mit Gips ausgebesserter Riss.

Arbeitsphasen (durchgehende Linie die festgestellten, punktierte Linie die ungewissen) von Nr. 49. Wahrscheinlich wurde die Umrahmung von Gehilfen gemalt.

53 A und B

Die Lünetten

Die Beschriftungen in der Mitte sind nach dem *Evangelium des Matthäus* abgeleitet, das die königlichen Ahnen Christi bis Abraham aufzählt. Steinmann stellte als erster fest, dass die Namen verglichen mit dem Text des Evangeliums, in einer Zickzack-Folge verlaufen, ein System, das die Maler des 15. Jahrhunderts in der Sixtina schon für die Papstreihe angewandt hatten. Die fehlenden Ahnen sollen in die Zeit der babylonischen Gefangenschaft fallen oder sich auf die Vorhersagen der abgebildeten Propheten beziehen. Siehe auch *Stichkappen* (Seite 98). Es wird angenommen, dass der Oberteil der Simse und die Inschrifttafeln der Lünetten die letzte Arbeit der Gehilfen darstellen, der Rest sei von Michelangelo ausgeführt [Camesasca] (siehe Schema Seite 101).

57 *215×430* 1511-1512

In Inschrift lautet: "ELEAZAR // MATHAN". Im Jüngling erkennt man Eleazar; für die meist als hässlich bezeichnete Begleiterin hat man keine Deutung; das Kind soll die Pose des jungen Johannes im *Tondo Pitti* im Bargello zu Florenz wiederholen. In der anderen Gruppe sieht man Mathan — Grossvater des hl. Joseph — der seiner Frau, die in einem an der Hüfte hängenden Beutel das Geld der Familie bewahrt und den kleinen Jakob tanzen lässt, grosse Gleichgültigkeit zeigt [Tolnay]. Ausgedehnte Schäden.

54 A und B

58 *215×430* 1511-1512

"IACOB // IOSEPH". Im Alten links sieht man Cacciaguida Alighieri mit dem jungen Dante [Borinski, 1908], den hl. Joseph [Steinmann] oder seinen Vater Jacob. In der Gruppe rechts wird meist die heilige Familie mit Johannes dem Täufer gesehen. Diese Lünette soll die mit Nr. 72 begonnene Serie beenden. Der Erhaltungszustand ist ziemlich schlecht.

59 *215×430* 1511-1512

"AZOR // SADOCH". Da die Bibel als Quelle bei diesen beiden Namen versagt, werden die Figuren nicht mit den Ahnen Christi in Verbindung gebracht; hingegen gibt es Vorschläge, Michelangelo selbst in dem "Philosophen" rechts zu sehen [Michelet; usw.].

60 *215×430* 1511-1512

"ACHIM // ELIVD". Auch hier verhindern die spärlichen Bibelquellen für die Figuren links die Ahnen-These; rechts soll die Mutter Eliuds einem kleineren Sohn Speise [nach Tolnay: Fisch] darbieten. Sehr stark durch Feuchtigkeit beschädigt, besonders links.

55 A und B [Tafel XXXIX]

56 A und B [Tafel. XXXVIII A]

57

58

59

60

61 [Tafel XL B]

62

63

64

65 [Tafel XLI]

66

67 [Tafel XL A]

68

69

70

61  °215×430° 1511-1512

"IOSIAS // IECHONIAS // SALATHIEL". Rechts Josias mit dem kleinen Jechonias, links Salathiel mit Mutter. Die Lebhaftigkeit der Kinder wird mit dem Ende der babylonischen Gefangenschaft in Verbindung gebracht [Tolnay].

62 °215×430° 1511-1512

"ZOROBABEL // ABIVD // ELIACHIM". Da die Bibelquellen fehlen, wurden die Figuren auf Dantes Werke bezogen: in der rechten Gruppe will man den Schöpfer der Divina Commedia selber sehen. Die Malerei hat stark unter der Feuchtigkeit gelitten.

63 °215×430° 1511-1512

"EZECHIAS // MANASSES // AMON". Rechts der alte Manasses in bereuender Pose; links schaukelt Messalemeth den kleinen Amon, der später ein schlechter König wurde: daher das kummervolle Gesicht der Mutter [Tolnay]. Durch Feuchtigkeit beschädigt.

64 °215×430° 1511-1512

"OZIAS // IOATHAM // ACHAZ". Manche wollen in der Figur links eine Frau sehen [Geffroy], allgemein wird ein Mann vermutet, der sich dem Kinde gegenüber ablehnend verhält: er sieht voraus, dass Achaz später ein Götzendiener wird und die andere Figur, sein Vater Joatham, soll nur ein "lauer Gläubiger" sein. Die "Geschichte" wird mit den Prophezeiungen erklärt [Tolnay]. Für die Frauenfigur rechts gibt es keine Erklärungen; sie wird als "Kranke" angesehen. Mittelmässiger Erhaltungszustand.

65 °215×430° 1511-1512

"ASA // IOSAPHAT // IORAM". Die magere, fast karikierte Figur links soll König Josaphat sein, von Michelangelo "bestraft" wegen seiner Geldgier [Tolnay], während er im Bibeltext (2. Chronik 17) nicht schlecht beurteilt wird. Rechts, zwischen den drei Kindern mit der Mutter, wäre Joram derjenige, der die Frau am stürmischsten umarmt, eine

Arbeitsphasen (durchgehende Linie die festgestellten, punktierte Linie die ungewissen) von Nr. 61. Es ist anzunehmen, dass die Arbeitsphase mit der Inschrifttafel und die darunterliegende von Gehilfen gemalt wurden. Der Rest ist von Michelangelo.

Kopie von Nr. 71 und 72 nach dem unter Leitung des W. Y. Ottley ausgeführten Stich (ca. 1800), der sich an jetzt verschollene Kopien aus dem Cinquecento hält.

Anspielung auf seinen späteren aggressiven Charakter. Der Erhaltungszustand lässt sehr zu wünschen übrig.

66 *215×430* 1511-1512

"ROBOAM // ABIAS". Für den linken Teil vermutet man eine andeutende Verbindung zwischen der meistens als schwanger bezeichneten Frau und den vierzig Kindern des Abias, der selbst das kaum sichtbare Kind im Hintergrund sein soll [Tolnay]. Rechts ist unklar, ob es sich um einen schlafenden Mann [Henke, 1871; usw.] handelt oder um eine Frau [Olivier, 1892; usw.], jedenfalls eine von Kummer und Mühe geplagte Figur. Erhaltungszustand wie Nr. 64.

67 *215×430* 1511-1512

"IESSE // DAVID // SALOMON". Die Figur links im arabischen Gewand soll der alte David sein, den die *Bibel* als wärmebedürftig bezeichnet; das Kind sei Salomon. Auf der anderen Seite befindet sich die von David schon verstossene Bathseba [Tolnay]. Erhaltungszustand wie Nr. 64.

68 *215×430* 1511-1512

"SALMON // BOOZ // OBETH". In der Figur rechts, die den Stab mit der merkwürdig geformten Krücke hält, sieht man eine Karikatur des auftraggebenden Papstes, Julius II. [Hartt, 1964] und zwar in der Figur des Königs Booz, dessen Sohn Obed — links mit seiner Mutter Ruth — eine Tröstung und Stütze für den Vater bedeute. Daher der krasse Unterschied zwischen der jugendlichen Üppigkeit des Kindes und der senilen Erscheinung des Vaters [Tolnay]. Dieses Fresko ist stärker verblasst als die vorherigen.

69 *215×430* 1511-1512

"NAASON". Der junge Prinz Naason und vielleicht seine zukünftige Frau. Ohne besondere Bedeutungen [Tolnay] oder ein Student und die Inspiration [Holroyd, 1903].

70 *215×430* 1511-1512

"AMINADAB". Neben einer sich kämmenden Frauenfigur soll der Prinz der Leviten, Aminadab, dargestellt sein. Ohne besondere Deutungen, abgesehen von seiner Melancholie, die von den Interpreten bei fast allen Figuren der Lünetten gesehen wird.

71 *215×430* 1511-1512

"PHARES // ESRON // ARAM". Sie gehört zu den beiden Lünetten an der Altarwand, die Michelangelo selbst entfernen liess (1535-1536), als er das *Jüngste Gericht* malte. Unter den bekannten Kopien ist hier der unter W. Y. Ottley ausgeführte Stich abgebildet, der sich an Zeichnungen aus dem Cinquecento hält. Links befindet sich der schlafende Phares mit Frau und Kind Esron; rechts Aram in Pilgerkleidung, unentschlossen über den einzuschlagenden Weg [Tolnay].

72 *215×430* 1511-1512

"ABRAAM // ISAAC // IACOB // IVDAS". Auch diese Lünette ist nicht mehr erhalten (siehe Nr. 71). Links liest der junge Jakob in der Genealogie Christi [Justi; usw.]; neben ihm Judas mit der Mutter. Auf der anderen Seite ist Abraham mit seinem Sohne Isaak wiedergegeben, welch letzterer ein Bündel Holz für das Opfer trägt.

Das Jüngste Gericht

73 1370×1220 1537-1541

Es ist unbekannt, wann der erste Entschluss für die Ausführung dieses gigantischen Werks für die Sixtinische Kapelle des Vatikans gefasst wurde. Jedenfalls hat Michelangelo den Auftrag im März 1534 angenommen, wahrscheinlich liefen die Verhandlungen schon seit Mitte 1533, unentschieden war jedoch, ob ihm die Bemalung der Altar- oder der Eingangswand übertragen werden sollte. Beim Tod Clemens' VII. im September 1534 schien der Auftrag zunächst annulliert, und Michelangelo kehrte nach Florenz zurück. Als Paul III. Farnese Papst wurde, erneuerte er sofort den Auftrag. Es steht fest, dass am 16. April 1535 mit der Erstellung des Gerüstes in der Sixtina begonnen wurde. Schon im Januar 1537 wurden die ersten Fresken aufgetragen, und am 31. Oktober 1541 wurde das umfangreichste Fresko, das bis dahin gewagt worden war, enthüllt. Fast vierhundert Figuren bevölkern die Wand; die Gestalten der oberen Regionen sind überlebensgross — ca. 250 cm —, in den unteren Partien messen sie ca. 155 cm. Sie sind wie folgt verteilt: im Zentrum der oberen himmlischen Sphäre, um den Menschensohn und Richter, an den sich die Madonna schmiegt, scharen sich Heilige, Patriarchen und Apostel in einem ersten Kranz; ein zweiter, äusserer besteht aus Märtyrern, Bekennern, Jungfrauen und Seligen; zu Füssen Jesu sitzen die Erzmärtyrer, hl. Laurentius und Bartholomäus — vielleicht, weil die Sixtina ursprünglich, ausser der Madonna, auch ihnen geweiht werden sollte. In den beiden Lünetten am oberen Bildrand bringen Engelgruppen das Kreuz und die Martersäule. Unter den Lünetten drängen links die schon gerichteten Seligen himmelwärts, während rechts die Verdammten in die Hölle geschleudert werden. In der Mitte des unteren Drittels erwecken die Engel mit Posaunenklang die Toten. Links unten erstehen die Toten aus der Erde, und rechts lädt Charon die Verdammten in seinen Nachen, um sie in den feurigen Pfuhl zu stürzen, wo Minos, der Höllenrichter, sie empfängt. In der Mitte unten der Höllenschlund (oder der Eingang zum Limbus [Tolnay, 1943-1960, V; usw.]). Abgesehen von den Hauptfiguren wurden im Lauf der Zeit unzählige und kontrastierende Interpretations-Vorschläge gemacht, wie man aus folgender Liste ersieht (siehe Schema Seite 104).

Die gebräuchlichsten Deutungen sind kursiv gesetzt: *1* - Erzengel Gabriel; *2* - die Pharaonentochter, die Moses fand, Sara oder Eva; *3* u. *4* - Niobe und eine Tochter, Eva und Tochter, Verkörperung der Mütterlichkeit, die barmherzige Kirche und eine Gläubige; *5* - Abel oder Eva; *6* - Abraham, hl. Bernhard, Papst Julius II.; *7* - Johannes der Täufer oder Adam; *8* - Rachel oder Dantes Beatrice; *9* - Noah, Enoch oder Paul III.; *10* - hl. Andreas, Johannes der Täufer oder Dismas; *11* - hl. Martha, hl. Anna, Vittoria Colonna; *12* - *hl. Laurentius*; *13* - *Maria*; *14* - *Christus*; *15* - Salomons Frau oder Dante Alighieri; *16* - Francesco Amadori, gen. Urbino oder Tommaso de' Cavalieri; *17* - *hl. Bartholomäus mit den Gesichtszügen des Aretino*; *17 A* - *die Haut des hl. Bartholomäus mit den Gesichtszügen Michelangelos*; *18* - hl. Paulus; *19* - hl. Petrus; *20* - hl. Markus oder Papst Clemens VII.; *21* - hl. Longinus; *22* - Simon der Zelot; *23* - hl. Philippus oder Dismas; *24* - Hiob oder Adam, auch Abraham; *25* - Hiobs Frau, Eva, Papst Hadrian VI.; *26* - *hl. Blasius*; *27* - *hl. Katherina von Alexandrien*; *28* - *hl. Sebastian*; *29* - Dismas, hl. Franz von Assisi, hl. Andreas, Simon von Cyrene, die Gerechtigkeit, Symbol der Menschheit mit ihren Schicksalsschlägen; *30* - Moses oder Adam; *31*, *32* u. *33* - ein Seliger (oder Engel), der zwei Neger emporzieht; *34* - Erzengel Michael mit dem Buch der Auserwählten; *35* - ein Hochmütiger, ein Falschspieler; *36* - ein Hochmütiger, ein in Verzweiflung Verdammter (im Gegensatz zur theologischen Hoffnung); *37* - ein Dämon; *38* - ein Hochmütiger, ein Faulenzer; *39* u. *40* - Paulo und Francesca; *41* - ein Geizhals oder der ämterverkaufende Papst Nikolaus III.; *42* - Ein Jähzorniger, ein Hochmütiger; *43* - ein Wollüstling, der "an seinen Genitalien in die Hölle gezogen wird"; *44* - Michelangelo; *45* - Michelangelo oder Papst Julius II., Virgil, hl. Stefan, Platon (oder die Weisheit), ein hilfreicher Mönch, ein Engel, Martin Luther; *46* - Dante; *47* - Savonarola; *48* - *Charon*, oder Satan mit den Gesichtszügen des Konnetabel von Bourbon; *49* - Cesare Borgia; *50* - *Minos*, mit den Gesichtszügen des Biagio da Cesena; *51* u. *52* - Graf Ugolino und Erzbischof Ruggeri. Ergänzend ist zu bemerken, dass für Niobe (*3*) die klassische Marmorstatue der Niobe in den Uffizien zu Florenz inspirierendes Vorbild sei; die Madonna (*13*) sei Vittoria Colonna ähnlich [Bellonci, 1929] oder es wäre die Synthe-

Erster Entwurf für Nr. 73 (Bleistift, 418×288 mm; Florenz, Casa Buonarroti).

Skizze (Ausschn.) für Nr. 73 (Bleistift, 345×291 mm; Bayonne, Musée Bonnat). Zuschreibung und Zeitbestimmung umstritten.

73 [Tafeln XLII-LIII]

Schema zur Bestimmung der Personen des Jüngsten Gerichts. Die hier angegebenen Nummern beziehen sich auf den Text (Seite 102), in dem die massgebendsten Hypothesen oder gebräuchlichsten Deutungen der Identität der Figuren des Freskos wiedergegeben werden.

se des überlieferten Madonnentypus und des klassischen Typus der Aphrodite [Tolnay], in ihrer Bewegung wiederhole sich die Geste der Eva in dem Dekkenfresko bei der *Vertreibung aus dem Paradies* [Hartt, 1950]; die Nacktheit der Christusgestalt (*14*), wurde lange Zeit [bis Keppler, 1913] gerügt; er erinnere an den blitzeschleudernden Zeus [Justi, 1900; usw.] oder vornehmlich an Phöbus [Gregorovius, 1859-1879; bis Tolnay; usw.]. Volle zehn Tage arbeitete Michelangelo an der Christusfigur. Keiner anderen Gestalt hat er soviel Sorgfalt gewidmet, und man kann auch einige Korrekturen während der Arbeit am Fresko feststellen, wie im übrigen auch in der Haut des hl. Bartholomäus (*18*), die, wie übereinstimmend angenommen wird, die Züge des Künstlers trägt und mit Bacchus-Mysterien, deren Anhänger er in seiner Jugend gewesen sei, in Verbindung gebracht wird [Wind, 1958 u. 1960]. Die auferstehenden Gestalten auf der linken Seite (bis 33) sollen Beziehungen zu den Akten in der *Schlacht von Càscina* [Steinmann, 1905; usw.], zu den Fresken des Signorelli im Dom zu Orvieto und zu anderen Quellen aus dem Quattrocento haben, sogar einschliesslich Bosch; der Selige, der zwei Auferstandenen hilfreich die Hand mit dem Rosenkranz (antilutheranisches Symbol des Gebetes [Pastor, 1886-1933]) entgegenstreckt (31, 32 u. 33), soll sich auf die Missionstätigkeit Portugals beziehen [Souza Costa, 1906], da die beiden Auferstandenen dunkle Hautfarbe haben [Stendhal, 1817; usw.]. Die Schlange, die den Verdammten, der eine Hand gegen das Auge presst (*36*), in die Seite beisst, deutet man mit Reue und will Beziehungen zu der Episode des Vanni Fucci [Kallab, 1903] aus Dantes *Divina Commedia* sehen, oder zu einer Stelle aus Honorius von Autun [Jessen, 1883] und aus der *Legenda aurea* [Sauer, 1908]; in dem schlecht sichtbaren Dämonen (*37*) daneben sieht man eine bemerkenswerte Vorwegnahme des Goya [Mariani, 1953]; für Charon (*48*) wird weitgehend das danteske Vorbild angenommen, wenn auch die Beschreibung der Gestalt in der *Divina Commedia* etwas differiert. Im übrigen erscheint es richtig und gerecht anzunehmen, Michelangelo habe aus Eigenem geschaffen und sich nicht immer an Vorbilder aus der *Divina Commedia* — die er allerdings sehr schätzte —, den hl. Schriften, dem *Dies irae* des Fra' Tommaso da Celano und anderen Texten gehalten, wie oft in kategorischer Exklusivität interpretiert wird. Auf Grund seines religiösen, historischen und literarischen Wissens konnte Michelangelo völlig frei nach eigener Vision seine "Geschichten" konzipieren.

Die Enthüllung des *Jüngsten Gerichts* löste überschwengliches Lob, aber auch sofort scharfe Kritik, sogar Tadel moralischer Art aus (siehe Kritische Betrachtungen im Laufe der Jahrhunderte, Seite 12 und 13). Vornehmlich bekannt sind die Angriffe des päpstlichen Zeremonienmeisters Biagio da Cesena, die schon während der Ausführung des Freskos einsetzten (daher rührt die Vasari-Anekdote, Minos [50] trage seine Züge und die Schlange bestrafe ihn offensichtlich, statt ihm, wie die danteske Fassung es will, zu helfen) und die des Aretino (der selbst im hl. Bartholomäus [*17*], nicht ohne gewollten Doppelsinn, den Zeremonienmeister erkennen will). Verschärft wurde die Tragweite der Kritik durch die Einberufung des Konzils von Trient, das die Vorwürfe der Protestanten gegen Roms "heidnischen Geist" entkräften muss-

Studie (Ausschn.) Selige und Verdammte (Bleistift, 385×253 mm; London, British Museum).

Studie (Ausschn.) Selige auf der linken Seite Christi (Bleistift, 179 ×239 mm; Bayonne, Musée Bonnat).

te. In der Sixtina nun lastet dieser "Geist", nackt und kühn an die Wand gebannt, über dem Altar des Statthalters Christi: daher der Beschluss am 21. Januar 1564, alle "obszönen" Stellen müssen "zugedeckt" werden. Daniele Ricciarelli aus Volterra übernahm diese undankbare Aufgabe, die ihn als "Hosenmaler" in die Geschichte eingehen liess. Noch andere nach ihm waren an der Übermalung beteiligt, in einer Folge, die noch Unklarheiten birgt. Den vor 1564 angefertigten Kopien (vor allem der des Venusti [1549], jetzt in Neapel) sowie den technischen Untersuchungen ist zu entnehmen, dass bei zehn Figuren die Tücher ergänzt wurden, bei fünfundzwanzig völlig neu sind, während hundertsiebenundneunzig vom Meister selbst "bekleidet" worden waren. Die Übermalungen sind in Tempera, könnten daher entfernt werden, ausser die der Gruppe des hl. Blasius und der hl. Katherina von Alexandrien, die "a fresco" auf neuem Putz aufgetragen wurden; da bei der Entfernung des alten Putzes zuviel abbröckelte, mussten auch die Köpfe erneuert werden.

Wie schon erwähnt, war es notwendig, sowohl die Fresken des Perugino zu zerstören, als auch zwei seiner eigenen Lünetten. Dann erst konnte die neue Wand aufgeführt werden. Darauf wurde das Fresko in rund vierhundertfünfzig Arbeitsphasen aufgetragen, von oben

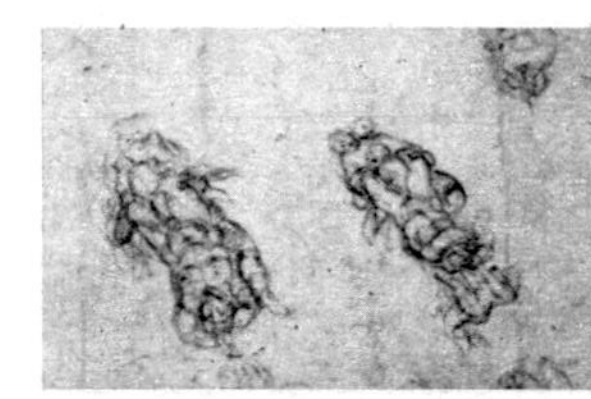

Studie (Ausschn.) Auferstehung (277×419 mm; Windsor Castle), verschieden interpretiert.

beginnend und in Querstreifen, die der Struktur des Gerüstes entsprachen, eingeteilt. Abgesehen von den "Hosenmalern und Putzern" wurden schon im 16. Jahrhundert Eingriffe vorgenommen Als im Jahre 1572 bis 1585 der Boden erhöht wurde, musste ein Streifen von ca. 70 cm des unteren Freskorandes zerstört werden. Neuerliche Ausbesserungen wurden in den Jahren 1710, 1825, 1903 und 1935/36 vorgenommen. Ein tiefer und verästelter Riss durchzieht heute das Fresko von unten gegen die Mitte hin. Durch den langjährigen Gebrauch eines Baldachins über dem Altar entstanden weitere Beschädigungen. Ausserdem durchziehen weisse Striche, deren Ursache man nicht kennt, das Bild, die jedoch vom Meister sicher nicht gewollt waren. Tropfen des Firnis Auftrages aus dem Jahre 1710 richteten ebenfalls Schaden an.

Heute hat das Werk die öffentlichen Lobpreisungen und den nicht spärlichen Tadel überwunden, der dazu führte, den Wert des *Jüngsten Gerichts* mit der Fülle des kosmischen Terrors oder der erbauenden Beschämung, die es auf den Beschauer ausübt, zu vermindern. Die moderne Kritik erbrachte nach vielfältigen Versuchen, in die stilistische Wesenheit des Freskos einzudringen, als Ergebnis zwei Meinungen, die fast wie eine Verurteilung klingen könnten: die Negierung des Malvasia (Kritische Betrachtungen im Laufe der Jahrhunderte, Seite 13), dass es sich um eine akademisch korrekte, perspektivische Aufgliederung handle, und die des Lalande (ibd.), das die Gruppen untereinander Verbindung haben. Tatsächlich ergibt die Prüfung der noch vorhandenen Skizzen (Florenz, Casa Buonarroti; Bayonne, Musée Bonnat; London, British Museum; Windsor Castle, usw.), dass der Meister im Laufe der Arbeit jedes der freien Gliederung des konstruktiven Aufbaues sich entgegenstellende Hindernis überwand. Darüberhinaus zeugt der Beschluss, ausser den alten Fresken des Perugino, auch zwei eigene Lünetten zu zerstören, von qualvollen Überlegungen. Als ihm aber endlich die gesamte Wand zur Verfügung stand, löste er sie auf, indem er sie in einen unbestimmbaren, abstrakten und endlosen Himmel verwandelte. Den so erzielten Eindruck vertiefte er durch den scharfen Gegensatz der Leere des Himmels zum drängenden Geschiebe der Mengen, die er in den Raum hineinbannte, der unten immer dunkler wird, während er den Hintergrund in einem silbernen Schein leuchten lässt. Nachdem Michelangelo dieserart die Wand "beseitigt" hatte, wirft er seine Gruppen in die verschiedenen Ebenen, ohne sich um die Regeln der kanonischen Perspektive zu kümmern: die Ausmasse der Gestalten verringern sich nach unten hin, aber nicht etwa um den "Flucht"-Effekt auszugleichen (der die oberen Figuren gleichen Ausmasses kleiner erscheine lässt), sondern um die Statik des gegenseitigen Gleichgewichts zu überwältigen und um die Bewegungsformen in der Einzeldarstellung zu unterstreichen. Hinzu gesellt sich ausserdem die Anhäufung der Gestalten zu verbindungslosen Gruppen: sie sind untereinander beziehungslos, wenn man davon absieht, dass sie doch dem allgemeinen Rhythmus der Komposition folgen. Das sind die Grundelemente, mit denen der Meister den ungestümen Aufruhr der Gesamtkomposition, den ungeheuerlichen Wirbelsturm rings um die Richterfigur Christi schuf, und mit denen er die Menschentrauben und die Strudel ins Leere, in Unwirklichkeit und Unbeständigkeit stürzt: eine Bewegung, die keinen Widerstand duldet und die immer wieder den Beschauer tief zu erschüttern vermag.

74 ▦ ⊗ ——— 1530 ▤ ⁝

Leda.

Im Jahre 1530, während der Belagerung von Florenz, wurde "ein grosses Bild für einen Saal, das die Kopulation des Schwanes mit Leda" [Condivi] darstellt "mit Tempera gemalt" [Vasari], ausserdem das Ei und Kastor und Pollux. Das Bild war für den Herzog von Ferrara, Alfonso d'Este, bestimmt, der es aber nie erhalten hat, und zwar auf Grund einer Taklosigkeit, die sich sein Abgesandter Michelangelo gegenüber erlaubt hatte. Der Meister gab es statt dessen Antonio Mini (1531), der es nach Frankreich brachte und dort (1532) für König Franz I.

Rosso Fiorentino (zugeschrieben), Kopie der Nr. 74 (London, National Gallery).

Nicolaus Beatrizet (zugeschr., "Michael Angelus inv."), Stich nach dem Gemälde Nr. 74.

deponierte. Möglicherweise hat der König es für Fontainebleau erworben. Später scheint es von einem Minister Ludwigs XIII. aus moralischen Gründen verbrannt worden zu sein, während — laut Milizia — es 1740 in schlechtem Zustand wieder aufgetaucht sei. Jedenfals ist es jetzt verschollen und nur durch die hier abgebildete Kopie in London, National Gallery (vielleicht von Rosso Fiorentino, Leinwand, 105×135 cm) bekannt. Weitere Kopien befinden sich in Dresden, Berlin und Venedig (Museo Correr). Es gibt verschiedene Stiche; der hier abgebildete von Beatrizet (271×401 mm) scheint, getreuer als die Kopie in London, dem Original wahl am nächsten zu kommen Auch die beiden Zwillinge Kastor und Pollux sind wiedergegeben.

75 ▦ ⊗ ——— 1531 ▤ ⁝

Noli me tangere.

Der Marchese del Vasto, Alfonso d'Avalos, hat im April 1531 von Michelangelo den Karton erhalten und ihn (Februar 1532) dem Pontormo zur malerischen Ausführung übergeben, der später noch eine weitere Version nach dem Karton malte. Das Original kam nicht — wie von Vasari [1568; usw.] irrtümlich berichtet — nach Frankreich, sondern blieb in Florenz und zwar im Ankleideraum des Cosimo I., von wo sich seine Spur verliert. Das hier abgebildete Bild wurde [Lavagnino, 1925; Briganti, 1945; Arcangeli

Iacopo Carrucci gen. Pontormo, Noli me tangere (Mailand, Privatsammlung).

und G. Morandi, 1956; usw.] als Pontormos erste Version bezeichnet. Es befindet sich in einer Privatsammlung in Mailand; zwei weitere Versionen sind in der Casa Buonarroti in Florenz, wovon die bessere jetzt Bronzino [Longhi, 1952; usw.] und die andere Clovio oder Venusti zugeschrieben wird.

76 ▦ ⊗ ·1532-1534* ▤ ⁝

Venus und Amor.

Schon der Anonymus Magliabechi [1537-1542] deutete das Vorhandensein eines Kartons von Michelangelo mit diesem Sujet an (ca. 1532-1534), der von Pontormo dann für Bartolomeo Bettini gemalt wurde. Thode [1908-1913; usw.] hielt einen in

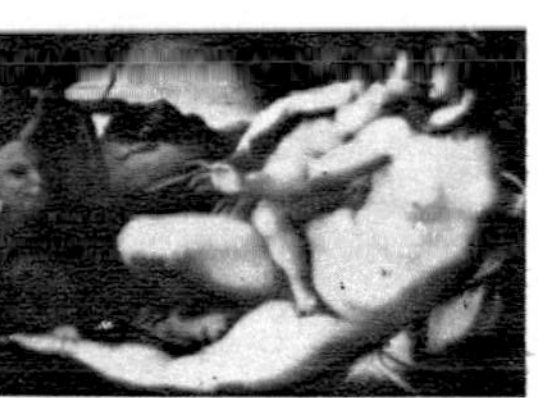

Pontormo (zugeschr.), Venus und Amor *(Florenz, Galleria dell'Accademia).*

Wahrscheinlich Skizze für den Karton Venus und Amor *(London, British Museum).*

Neapel befindlichen Karton für das Original, aber Tolnay [1943-1960, III; usw.] erklärte ihn für eine Kopie. Eine Skizze für das Bild (Tinte, 58×121 mm) befindet sich im Britischen Museum in London (hier abgebildet). Es ist bekannt, dass Herzog Alessandro de' Medici das Bild besass. Man nimmt an, es sei das gleiche, das heute in der Galleria dell'Accademia in Florenz hängt (Tafel, 128×147 cm), während andere [Berenson, 1896, usw.; Clapp, 1916, usw.] es Pontormo zuschreiben, obgleich es meist als Kopie bewertet wird. Vasari waren schon zwei Kopien des Originalkartons bekannt und weitere Kopien befinden sich in Hampton Court, Neapel, Rom (Palazzo Colonna) und in Hildesheim.

Die Fresken der Cappella Paolina

Michelangelo begann die malerische Ausschmückung dieser Hauskapelle des Vatikans, die 1540 von Paul III. geweiht wurde, im Oktober oder November 1542. Auf Grund einer schweren Erkrankung des Künstlers wurden die Arbeiten 1544 unterbrochen. Es scheint, dass das erste Fresko, die *Bekehrung Pauli*, am 12. Juli 1545 vollendet war. Am 10. August war schon die Wand für die *Kreuzigung Petri* vorbereitet, und als im Jahre 1545 ein Brand in der Kapelle ausbrach, befand sich das Fresko wahrscheinlich in Arbeit. Eine neuerliche Krankheit des Meisters unterbrach abermals die Ausführung im Januar 1546. Als der auftraggebende Papst Paul III. im November 1549 starb, was das zweite Fresko noch nicht vollendet. Wahrscheinlich fällt der Abschluss der Arbeit in den März 1550. Schon Frey sagte [1920], die religiösen Sujets seien nur ein Vorwand und Mittel, um die universelle "Herrschaft abstrakter Urkräfte" auf das Menschenschicksal zum Ausdruck zu bringen. Die nachfolgenden Interpreten übernehmen die alte These von Dvořák [1928] und bestehen auf dem Gebrauch "historischer" Episoden für die Zurschaustellung von autobiographischen Begebenheiten und "Symbolen des Glaubens" [Einem, 1959, Tolnay, 1934-1960, V], so sollen die Fresken der Paolina zwei wichtige Momente des menschlichen Aufstiegs beinhalten: die Bekehrung und das Martyrium, und gleichzeitig somit die Epochen von Michelangelos eigener "Bekehrung" widerspiegeln [Argan, 1963]. Bis vor kurzem war man der Ansicht [Steinmann 1925-1926], der Brand im Jahre 1545 hätte im wesentlichen die "michelangelesken" Qualitäten des Zyklus vernichtet, so dass der heutige Zustand eigentlich nur "grobe" Wiederherstellungen zeige. Bei der Restaurierung im Jahre 1934 zeigte sich jedoch, dass sich die Übermalungen auf wenige "moralisierende" Gewänder der ehemals nackten Engel beschränken und auf wenige Stellen der Landschaft, die mit Tempera ausgebessert worden waren.

Nach Ablehnung der einschränkenden Beurteilung begreift die neue Kritik, dass das Werk in der Paolina nicht etwa der Ausdruck und die Folge einer Rückentwicklung oder gar Dekadenz des Meisters ist, sondern vielmehr eine "andere" Schaffensform, die auf die beim *Jüngsten Gericht* angewandte folgte. Mehr noch, es ist sowohl eine Weiterentwicklung der Auffassung, die für die Komposition der grossen Wand in der Sixtina massgeblich war, als auch ein neuer Aufschwung, oder besser noch, die Nachwirkung und Fortführung der im *Tondo Doni* bereits zum Ausdruck gekommenen Ideen. In der Tat, wenn einerseits in der Paolina sich die figürlichen Massen von der vom Rahmen eingeschlossenen Fläche unabhängig machen und sich in einem Rhythmus bewegen, der verschiedene Räume bildet, so zeigt sich andererseits — in der *Kreuzigung Petri* vielleicht noch stärker zum Ausdruck kommend — hier ein perspektivisches Wechselspiel, auf vielfältige Fluchtpunkte aufgebaut, so dass sich der Beschauer, wenn er vor dem Fresko steht, in die dargestellte Episode "einbezogen" fühlen muss, als stände er selbst auf dem Boden, auf dem sich die Hauptszene abspielt. In bezug auf die Gruppen weiter hinten hingegen befindet sich der Betrachtende in der Position eines Aussenstehenden. In diesem Zwang zum Teilnehmen und Nicht-Teilnehmen und im Ausbruch dramatischer Eindringlichkeit manifestiert sich die unerhörte Kraft des malerischen Könnens Michelangelos. Diese Kraft bewirkt, dass unserem Erfassungsvermögen auch weitere, tiefdurchdachte und daher mitreissende Dissonanzen begreiflich werden, wie beispielsweise das Zurückgreifen auf die plastische Wirkung von quattrocentesker Geschlossenheit. Dieser kompakte Geist des Quattrocento wird jedoch vom Meister in sanfte Farbenskalen aufgelöst und in ungreifbare, haluzinierende Körperlichkeit zergliedert, während er den Hauptfiguren eine monumentale Grossartigkeit, gepaart mit einer fast expressionistischen Wildheit, verleiht.

77 ▦ ⊗ 625×661 1542-1545* ▤ ⁝

Bekehrung Pauli.

Das Thema ist der *Apostelgeschichte* entnommen (9, 3 ff.) und wurde aus der sich im 13. Jahrhundert durchsetzenden ikonographischen Auffassung entwickelt. Saulus — später der heilige Paulus — wurde eben zu Boden geschleudert. Hinter ihm sein vor der Erscheinung Christi fliehendes Pferd, um ihn herum sein Fussvolk, das, vom Blitz und der himmlischen Stim-

77 [Tafeln LIV-LVII]

78 [Tafeln LVIII-LXIV]

me erschreckt, auseinanderweicht. Rechts im Hintergrund die Stadt Damaskus. Allgemein will man in dem aus dem Sattel Geworfenen die Züge des Künstlers erkennen. Die Pose erinnert an den klassischen Typus der Flussgottheiten [Tolnay], genauer noch, an die Figur des Heliodor aus den vatikanischen Fresken des Raffael [Einem], was aber andererseits wieder auf eine Inspiration Buonarrotis zurückgeht und auch mit Flussgottheiten aus der Antike zusammenhängt [Panofsky, 1939]. Der Kopf des Saulus wurde mit hellenischen Vorbildern gequälter Menschen, wie *Laokoon*, verglichen [Mariani, 1932]; das Pferd wurde mit der klassischen *Dioskurengruppe* in Montecavallo (ib.) in Verbindung gebracht, die Soldaten mit denen der Reliefs der Trajanssäule und antiker Sarkophage (ib.). Die Temperaübermalung des Pferdekopfes wurde 1953 entfernt.

Ausschnitt aus dem Karton für Nr. 78 (Neapel, Galleria di Capodimonte), der aus neunzehn auf Leinwand aufgezogenen Blättern besteht (Bleistift und Aquarell, 263×156 mm). Das Werk ist stark beschädigt und später ausgebessert und ergänzt worden. Die von Berenson gemachten Vorbehalte bezüglich der Autorschaft Michelangelos sind heute längst überwunden.

78 ⊞ ⊕ 625×662 *1545-1550 ▤ ⁝

Kreuzigung Petri.

Die Episode, die in der *Apostelgeschichte* nicht Erwähnung findet, ist teilweise der *Legenda aurea* des Jacobus a Voragine entnommen. Die Darstellung der Hinrichtungsart ist in einer langen Tradition verwurzelt und vom Beginn des 4. Jahrhunderts an ikonographisch in den Mosaiken der vatikanischen Basilika gebräuchlich: zum Kreuzestod wie Christus verurteilt, wollte der hl. Petrus aus Demut mit dem Kopf nach unten ans Kreuz geschlagen werden. Das Bild deutet durch die Cestiuspyramide und die *Meta Romuli* die Vollstreckung des Urteils in Rom an. Reiter und Fussvolk mischen sich unter die Anhänger des Märtyrers. Die Gruppe der Weinenden im Vordergrund findet grosse Bewunderung. Im Gegensatz zu den bisherigen Darstellungen des Themas, einschliesslich derjenigen des Quattrocento aus der Toskana, legt Michelangelo das Kreuz diagonal ins Bild und verlegt die Handlung auf einen kahlen Hügel [Tolnay]. In der Gesamtgliederung entdeckt man Anklänge an die Schlacht-Reliefs der Trajanssäule und an antike Sarkophage [Mariani] sowie an die Kentaurenschlacht des jungen Buonarroti. Einige Figuren wurden mit dem Karton von Càscina in Verbindung gebracht [ib.]. Von Einem behauptet — Tolnay bestreitet es jedoch —, die griechische Skulpturengruppe des *farnesischen Stiers*, die eben 1545 in Rom gefunden wurde, habe auf die Struktur des Freskos Einfluss gehabt.

79 ⊞ ⊗ *55×40* 1545* ▤ ⁝

Kreuzigung.

Das für Vittoria Colonna bestimmte Bild wurde, wie einem Briefwechsel des Künstlers mit ihr zu entnehmen ist, gegen 1545 gemalt. Es hat sich anscheinend um ein kleines Bild gehandelt, das Bottari [1759 bis 1760, III] als in der "Galleria Medicea" befindlich erwähnt (vielleicht handelt es sich aber um eine Kopie des Alessandro Allori). Das Original ist verschollen, Kopien gibt es in den Uffizien, in Rom (Galleria Doria und Borghese) und in Neapel, sowie mehrere vorbereitende Zeichnungen. Die bedeutendste ist die hier wiedergegebene im British Museum, London (Bleistift, 370×270 mm), doch es ist umstritten, ob sie von der Hand des Meisters ist. Von den Kopien wird rechts unten die der Galleria Doria (Tafel, 55×40 cm) abgebildet, vielleicht von Venusti, auf der ausser den beiden Engeln der Londoner Zeichnung auch Maria und der hl. Johannes abgebildet sind. Der Stich von Philipp Soye (535×365 mm) — ebenfalls hier wiedergegeben — entspricht der Kopie der Galleria Doria, nur hält der Gekreuzigte auf dieser den Kopf gesenkt. Da die gleiche Variante auch auf anderen Stichen vorkommt — Gerard de Jode usw. — ergibt sich die wenn auch unwahrscheinliche Möglichkeit, dass es sich um ein anderes Urbild handelt, das nicht unbedingt ein Gemälde sein muss. Redig de Campos zeigte auf dem XXI. Internationalen Kongress für Kunstgeschichte (Bonn, 1964) eine *Kreuzigung* und stellte die Hypothese auf, es handle sich vielleicht um das Original. Tolnay aber [1965] schrieb sie Sofonisba Anguissola zu.

Studie für die Madonna Nr. 79 (Bleistift, 230×100 mm, Paris Louvre). Auf der Rückseite des gleichen Blattes befindet sich ein Entwurf für diese Figur, zu der scheinbar ein Mann Modell stand. Berenson, Thode, Wilde, Goldscheider und Berti schreiben es Michelangelo zu, während Tolnay der Meinung ist, es handle sich um die Kopie einer verschollenen Zeichnung des Meisters.

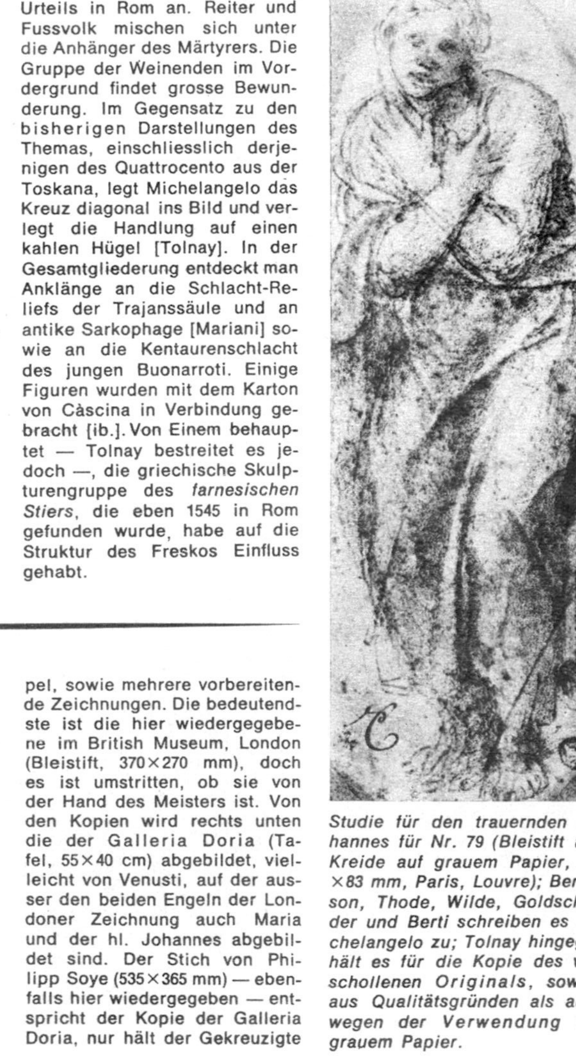

Studie für den trauernden Johannes für Nr. 79 (Bleistift und Kreide auf grauem Papier, 250×83 mm, Paris, Louvre); Berenson, Thode, Wilde, Goldscheider und Berti schreiben es Michelangelo zu; Tolnay hingegen hält es für die Kopie des verschollenen Originals, sowohl aus Qualitätsgründen als auch wegen der Verwendung von grauem Papier.

Der Gekreuzigte *(Bleistift, 370×270 mm, London, British Museum). Wahrscheinlich eine für Vittoria Colonna bestimmte Zeichnung, die Michelangelo zur Kreuzigung Nr. 79 Ausführte.*

Philipp Soye ("Michelangelus Bonarotus inventor // Philippus Scyticus fecit"), Stich nach dem Gemälde Nr. 79; irrtümlicherweise wurde der Stich Antonio Lafrery zugeschrieben, der aber nur der erste Herausgeber war.

Marcello Venusti (zugeschr.) Kopie des Gemäldes Nr. 79 (Rom, Galleria Doria); offensichtlicher Zusammenhang mit der Zeichnung, die sich im British Museum befindet.

Register

Namenverzeichnis

Dieses Verzeichnis bezieht sich nur auf das malerische Schaffen Michelangelos oder auf Werke, die damit in Verbindung stehen. Die Nummern beziehen sich auf den Katalog der Werke. Die Zahlen in kursiv beziehen sich auf das Schema für die Bestimmung der Personen des Jüngsten Gerichts (Seite 104).

Verzeichnis der Werke

Topographisches Verzeichnis

Anhang

Michelangelo, Bildhauer und Architekt

Um ein tieferes Eindringen in die Malerei Michelangelos zu ermöglichen — deren Motive häufig in das übrige Schaffen des Meisters übergreifen und mit ihm in Wechselbeziehung stehen —, wird hier anschliessend ein Überblick über seine bekanntesten Skulpturen und Bauten gegeben.

Kentaurenkampf oder Raub der Hippodameia *(Marmor, 90,5×90,5 cm; Florenz, Casa Buonarroti); um 1492, am Hofe der Medici entstanden.*

(Oben) Madonna Pitti *(Marmor, 85,8×82 cm; Florenz, Bargello), 1504-1505 (?).* - *(Unten)* Madonna Taddei *(Marmor, Durchm. 109 cm; London, Royal Academy).*

(Rechts) Madonna an der Treppe *(Relief, Marmor, 55,5×40 cm; Florenz, Casa Buonarroti); zwischen 1490-1492 entstanden, als Michelangelo sich am Hofe Lorenzo de' Medicis befand: also die älteste seiner noch vorhandenen Skulpturen. Vasari erwähnte bereits das Werk, das den Stempel Donatellos trägt und Einflüsse von Pisano, Giotto und Masaccio zeigt.*

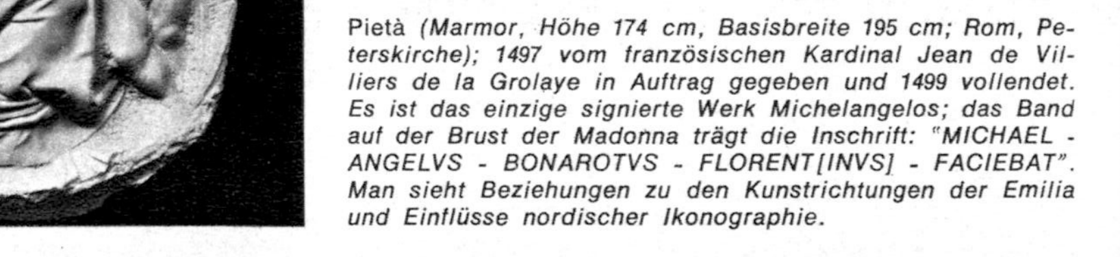

Pietà *(Marmor, Höhe 174 cm, Basisbreite 195 cm; Rom, Peterskirche); 1497 vom französischen Kardinal Jean de Villiers de la Grolaye in Auftrag gegeben und 1499 vollendet. Es ist das einzige signierte Werk Michelangelos; das Band auf der Brust der Madonna trägt die Inschrift: "MICHAEL - ANGELVS - BONAROTVS - FLORENT[INVS] - FACIEBAT". Man sieht Beziehungen zu den Kunstrichtungen der Emilia und Einflüsse nordischer Ikonographie.*

Madonna mit Kind *(Marmor, Höhe 128 cm, Brügge, Liebfrauenkirche); vielleicht 1501 ausgeführt und vom Meister 1506 verkauft und dann nach Brügge transportiert.*

Trunkener Bacchus *(Marmor, Höhe 203 cm; Florenz, Bargello); 1496-1497 in Rom für Jacopo Galli ausgeführt; seit 1572 in Florenz.*

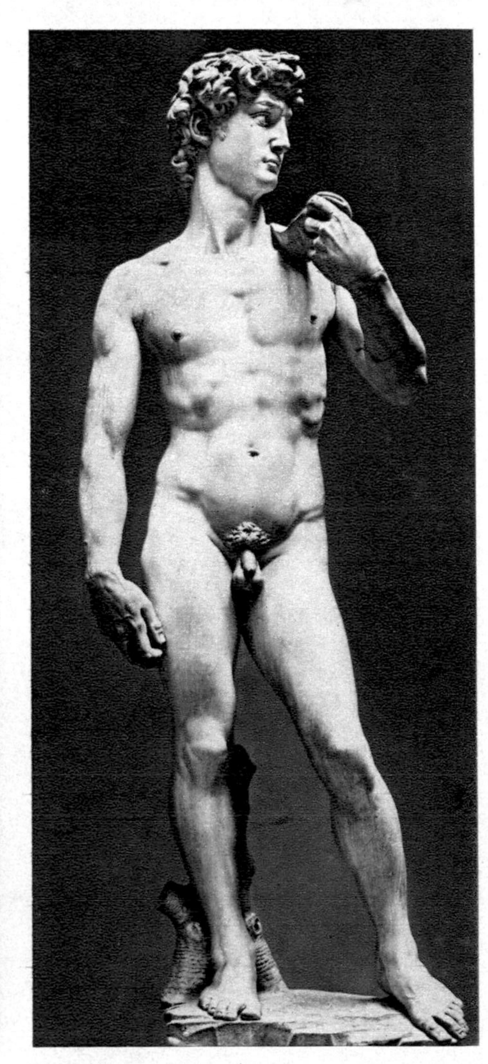

David *(Marmor, Höhe 434 cm; Florenz, Accademia), 1501-1504 für die Piazza della Signoria ausgeführt, wo er 1873 durch eine Kopie ersetzt wurde.*

Hl. Matthäus *(Marmor, Höhe 261 cm; Florenz, Accademia); es ist die einzige für den Dom zu Florenz begonnene* Apostelstatue *(um 1504).*

Lorenzo de' Medici *(Marmor, Höhe 178 cm; Florenz, S. Lorenzo; um 1524-1531). Unten und recht die übrigen Statuen für S. Lorenzo.*

Sterbender Sklave *oder* Gefangener *(Marmor, Höhe 229 cm; Paris, Louvre), 1513 für das Grabmal Julius II. ausgeführt (abgeändertes Projekt).*

Giuliano de' Medici *(Marmor, Höhe 173 cm; Florenz, S. Lorenzo); zwischen 1526 und 1533 ausgeführt unter Mitarbeit des Montorsoli.*

Rebellischer Sklave *oder* Gefangener *(Marmor, Höhe 215 cm; Paris, Louvre); 1513 für das Grab Julius II. angefangen und nicht vollendet.*

(Links:) Madonna mit Kind *(Marmor, Höhe 226 cm; 1521-1531; Florenz, S. Lorenzo). - (Rechts, von oben:) Die allegorischen Marmorfiguren, zwischen denen die Porträtstatuen des Lorenzo und Giuliano aufgestellt sind: der* Abend *(Länge 195 cm) und der* Morgen *(203 cm), die* Nacht *(194 cm) und der* Tag *(185 cm), in den Jahren 1524 bis 1533 geschaffen.*

(Von links) Auferstandener Christus *(Marmor, Höhe 205 cm; Rom, Kirche S. Maria sopra Minerva; 1519-1521); Michelangelo war mit dem Werk unzufrieden wegen falsch verstandener Eingriffe des Gehilfen Urbano, die trotz Ausbesserungen des Federico Frizzi und seiner eigenen nicht beseitigt werden konnten.*
Der Sieg *(Marmor, Höhe 261 cm; Florenz, Palazzo della Signoria); die Datierung ist ungewiss, zwischen 1532 bis 1534 oder 1506); man glaubt heute noch — zu Unrecht —, bei der Ausführung hätten Gehilfen mitgewirkt (man nimmt zum Beispiel an, der Kopf sei von Vincenzo Danti). Die Figur des besiegten Barbaren gelangte nicht über das Stadium des Entwurfs hinaus.*

Herkules und Cacus *(Ton, Höhe 41 cm; Florenz, Casa Buonarroti); Entwurf, vielleicht von 1508 für die Piazza della Signoria.*

Brutus *(Marmor, Höhe 95 cm; Florenz, Bargello); man hält das Werk für ein Idealbildnis des Tyrannentöters Lorenzino de' Medici.*

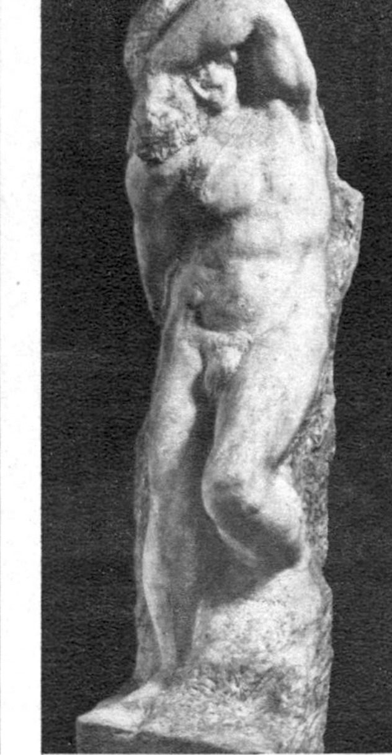

Gefangene *oder* Sklaven *(Florenz, Accademia), Marmorstatuen für das Grab Julius II.; sie werden in die Jahre 1519 bis 1536 datiert und sind unvollendet. (Von links)* Bärtiger Gefangener *(Höhe 248 cm),* Junger Gefangener *(235 cm),* Erwachender Gefangener *(267 cm) und* Gefangener, *sogenannter* Atlas *(208 cm).*

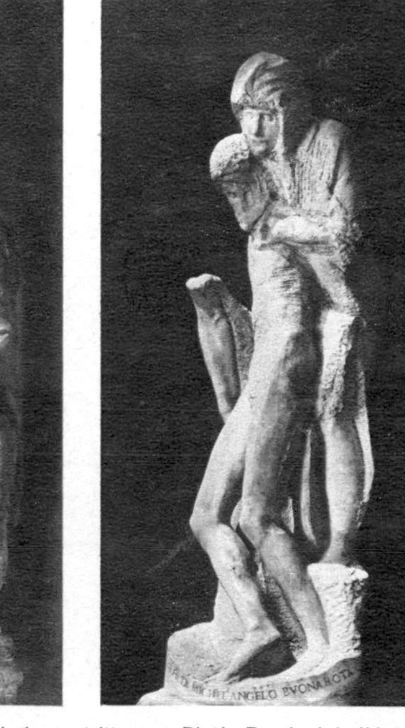

(Von links) Moses *(Marmor, Höhe 235 cm; Rom, San Pietro in Vincoli); 1515 für das Grab Julius II. begonnen.* - Pietà *(Marmor, 226 cm; Florenz, Dom; ca. 1550); der Meister selbst zerbrach den linken Arm und das Bein der Christusfigur.* - Pietà von Palestrina *(Marmor, 253 cm; Florenz, Accademia); Zuschreibung und Datierung sind umstritten.* - Pietà Rondanini *(Marmor, Höhe 195 cm; Mailand, Castello); blieb durch den Tod Michelangelos unvollendet.*

Architektonische Werke für S. Lorenzo in Florenz: (oben, von links) Holzmodell für die Fassade (Casa Buonarroti), nicht einstimmig Michelangelo zugeschrieben, aus dem Jahr 1517; Teilansicht der Neuen Sakristei mit dem Grab Giuliano de' Medicis (1520-1534) in der Aufstellung von Vasari (ca. 1556). (Unten, von links) Lesesaal und Freitreppe der Laurentianischen Bibliothek (1523-1571); die Reliquientribüne für den Schatz der Medici auf der Innenseite der Fassade.

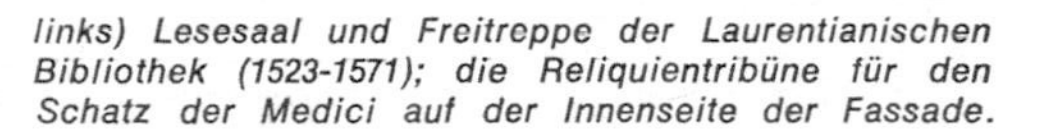

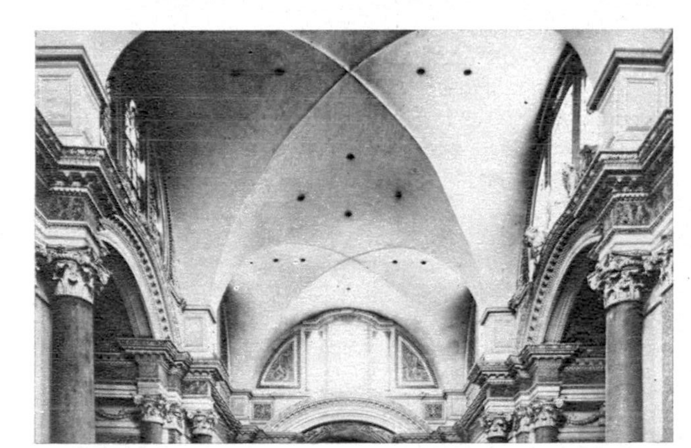

S. Maria degli Angeli, Rom (Teilansicht der Gewölbe), nach dem Umbau (1561-1566) der Thermen des Diokletian.

Fassade des Palazzo Farnese in Rom; von Michelangelo stammt das dritte Stockwerk und das Dachgesims (1546-1549).

Modell der Peterskuppel (Vatikan, Museo Petriano).

Kapitol in Rom. Um 1538 entwarf Michelangelo den Gesamtplan für drei monumentale Gebäude und den Platz, in dessen Mitte das antike Reiterstandbild des Marc Aurel steht.

Treppe im Belvedere-Hof des Vatikans, von Michelangelo um 1550 entworfen und dann durch mehrere Eingriffe abgeändert. Die Brüstung wurde ersetzt und ein Brunnen hinzugefügt.

Ansicht der Porta Pia, Rom, unter Leitung Michelangelos zwischen 1561 und 1565 (?) gebaut.

Inhaltsangabe

Die Erklärung der im Katalog wiedergegebenen Zeichen befindet sich auf Seite 82.

Fotovermerk

Farbtafeln: Archivio Rizzoli; De Antonis, Rom; Del Priore, Rom; Novarese, Florenz. Schwarzweiss-Abbildungen: A.C.L., Brüssel; Alinari, Anderson, Brogi, Florenz; Gabinetto Fotografico Nazionale, Rom; National Gallery, London; Royal Academy, London; Sovrintendenza alle Gallerie, Florenz; Vasari, Rom.